COLLECTION FOLIO

Sylvie Germain

Éclats de sel

Gallimard

Ce livre a été écrit avec l'aide
du Conseil général de Seine-Saint-Denis.

Le Livre des Nuits (Folio nº 1806), le premier roman de Sylvie Germain, a été salué par une presse unanime et a reçu six prix littéraires : le prix du Lions Club International, le prix du Livre Insolite, le prix Passion, le prix de la ville du Mans, le prix Hermès et le prix Grevisse. Son deuxième roman, *Nuit-d'Ambre* (Folio nº 2073), paru en 1987, est la suite du *Livre des Nuits*. Son troisième roman, *Jours de colère* (Folio nº 2316), a obtenu le prix Femina en 1989.

Elle a ensuite écrit un récit, *La Pleurante des rues de Prague* (Folio nº 2590), *Immensités* (Folio nº 2766) en 1993 et *Éclats de sel* en 1996.

À Lubomír Martínek

Qui d'entre nous n'a pas succombé, consciemment ou inconsciemment, aux mystifications ? Qui d'entre nous ne leur a pas payé un tribut souvent exorbitant ? Ne pourrait-on écrire un ouvrage sur la « mystification considérée comme un des beaux-arts » ? Qu'est-ce d'ailleurs que l'histoire ? Les titres de gloire ? Faisons un essai : inversons les manchettes de plusieurs articles dans le journal ou troquons les photos en laissant les légendes telles quelles. Peut-être cela nous égayera-t-il, peut-être pas. L'homme accède à la connaissance par d'étranges chemins.

JIŘÍ KOLÁŘ

Préface

Un hêtre isolé se dressait, là-bas, au milieu d'un paysage plat surplombé par un ciel en remous aux tons d'ardoise et de lavande. Il se tenait très droit au cœur de cette double immensité de terre rase et de froide lumière, de cette double nudité, et il portait très haut dans le bleu du silence sa cime globuleuse couleur d'ambre et de rouille. Un hêtre en sobre majesté qui conversait avec le vent, avec le vide, avec sa propre ombre, dans le déclin du jour.

Le lieu était banal, et pourtant insolite. Nul relief, un chromatisme pauvre, un ciel démesuré, une ligne d'horizon tirée d'un trait austère, et bas. Mais il y avait l'arbre, son tronc cendré, comme une entaille dans le bleu sourd du ciel, sa ramure arrondie, comme un défi à tant de nivelage, son feuillage cuivré, comme un gong recélant d'obscures résonances. Il y avait ce hêtre planté en sentinelle dans la tombée du jour, dru comme un corps d'attente et de longue endurance. Il habitait l'espace avec simplicité, avec puissance, tout concentré sur soi, sur son invisible cœur d'arbre, son inaudible chant d'arbre, sa solitude d'arbre. Il habitait le temps avec ténacité, avec patience, tramant sans fin des songes sous son écorce grise, tissant et enlaçant les fils ligneux de sa mémoire séculaire.

Mais le hêtre soudain fut arraché à son immobilité et se mit à glisser lentement le long du ciel jusqu'à échapper à la vue. S'en allait-il rejoindre les forêts, renonçait-il à son excès de solitude? Entrait-il en dérive dans le courant d'un songe jailli à l'horizon, dans la houle des nuages, ou bien s'enfuyait-il pour taire un secret que commençaient à disperser ses feuilles rousses? Toujours est-il qu'il disparut; la nudité du lieu fut alors à son comble, le bleu du soir parut plus sombre, la terre plus désolée. Ludvík ressentit un léger désarroi en voyant l'arbre s'éloigner, bien que dans le même instant il soupirât de soulagement, — après plus de vingt minutes d'arrêt en pleine campagne le train se remettait enfin en route. Ludvík reprit la revue d'art qu'il avait posée sur la tablette; elle s'ouvrit d'elle-même à une page toute gondolée pour avoir été mouillée par du café. Des éclaboussures bistre constellaient les lignes d'un article consacré à *La Cène* de Léonard de Vinci. Ludvík lut le texte caféiné et lui trouva un goût d'amère ironie. Il y était question de l'état de conservation désastreux de la fresque et des travaux entrepris pour tenter de la sauver; l'auteur retraçait la chronique de ce délabrement auquel, dans le passé, certains restaurateurs incompétents, sinon charlatans, avaient lamentablement collaboré. Ludvík, depuis le début de son voyage ne faisait que ressasser des pensées maussades qui rôdaient autour de l'idée de dégradation, tant physique qu'intellectuelle. Ce récit de la ruine d'un chef-d'œuvre lui fit l'effet d'un doigt posé sur une plaie.

Un second article proposait une étude de la construction de la Cène et analysait la dynamique des poses et des gestes des personnages ; cet exposé était illustré de reproductions, particulièrement des détails des mains. Celles écartées du Christ, délimitant un vide central, et celles des disciples, d'une telle expressivité qu'elles semblaient avoir pris la parole, s'étonnant, s'exclamant, s'entre-interpellant, quêtant du sens, soupesant le poids de l'instant. Un poids tragiquement lourd, car chargé de la révélation que le Maître vient de faire aux apôtres : l'un d'entre eux va le trahir. Le détail des mains de celui auquel incomba l'œuvre au noir de cette trahison figurait dans l'iconographie. Par contraste avec les mains si lestes et vives des onze fidèles, celles de Judas paraissaient pesantes, crispées, surtout la droite, resserrée sur la bourse emplie des funestes deniers. Et de cette main alourdie il venait de renverser, sans y prendre garde, une salière dont le contenu se répandait sur la nappe. Judas, celui qui a brisé l'Alliance, refusé de devenir le sel de la terre. Ludvík bâilla et referma la revue qu'il reposa sur la tablette.

Le train roulait à présent entre des champs qu'estompait un brouillard toujours plus dense, le ciel virait au brun, à peine fileté de traînées rosâtres qui rendaient floue la ligne d'horizon. Le paysage se délabrait dans une pénombre ocreuse et les quelques arbres qui défilaient le long des talus étaient dépourvus de la puissance du hêtre qui, un peu plus tôt, de par sa seule présence, avait donné à l'espace alentour une mise en scène troublante et solennelle. Il y avait quelque chose de hagard, de misérable, dans ces arbres chétifs qui frissonnaient dans le brouillard. Ludvík se sentit frémir du même froid humide que celui dont tressaillaient ces arbres. Vraiment, l'heure ne suintait que laideur et tristesse et ne portait aucune promesse d'éclaircie. Ce crépuscule était terne, écœurant de fadeur, et Ludvík était à l'unisson, morose, écœuré de fadeur.

Il rentrait de la ville de T. où il était allé rendre visite à un de ses anciens professeurs, Joachym Brum, que tous appelaient autrefois le grand Brum. Il y avait eu un temps, dans sa jeunesse, où Ludvík avait voué à cet homme une admiration si vive qu'il l'avait considéré comme un père second, un père diagonal qui l'avait remis plus pleinement, ou du moins autrement, au monde. Puis, au fil des années, les liens de cette filiation traversière s'étaient lentement distendus jusqu'à même s'effilocher. Ludvík était parti fureter vers d'autres espaces de pensée que ceux où Brum pérégrinait avec constance, et une ferveur discrète. Et la personne de Brum s'était peu à peu dissoute en un personnage de légende dorée, — légende dont la dorure s'était fanée, puis craquelée.

Joachym Brum avait été un nomade, de la race des nomades immobiles, ceux pour lesquels la moindre fleur s'ouvre en jardin, une goutte d'eau contient un fleuve, le tremblement d'une ombre ou d'une lueur sur un mur se fait invitation au rêve ; ceux pour lesquels un tableau est un pays aux étendues illimitées

18

et aux visions profuses, et les mots, les mots surtout, sont miracles d'espace, de mouvement, d'échos. Brum avait sa vie durant arpenté les géographies du langage, des images et des formes ; il avait appris combien sont hautes et arides les vraies terres du langage et celles du visible. Pour mieux explorer ces terres en altitude, en diversifier la sonorité, la lumière, Brum avait acquis la connaissance de plusieurs langues. Peu importaient les chemins vers l'ailleurs, disait-il souvent, il suffisait que l'ailleurs se dressât, vivace, au midi du désir, qu'il s'étendît sans fin à l'horizon du cœur. Ainsi avait-il passé sa vie à voyager en douce dans le silence de son salon.

Dans ce silence infiniment bruissant de rimes et de rythmes, pendant quelques années il avait conduit Ludvík. Et lorsque celui-ci s'était laissé griser dans les hauteurs des mots, confondant la rigueur et la préciosité, Brum avait su le mettre en garde. Un jour où Ludvík lui avait soumis des poèmes de son cru, fort abscons et bien mal inspirés, Brum lui avait cité en guise de jugement quelques vers de Cyprian Kamil Norwid. *Tu dis : « Mon chant est un chant d'amour »… / Crois-tu pouvoir me tromper ? / Je ne sens pas que les cordes vibrent, sous tes doigts. / Tu n'es qu'un imprimeur de poèmes.* Puis il avait ajouté, toujours citant Norwid : *Sache rendre aux mots leur sens premier, / Tout le mystère qui gît dans la perception ; / Les rimes ? Elles sont dans les vers, non à leur terme. / Les étoiles ne sont pas là où elles brillent.* Il n'était pas possible de se remémorer une conversation avec Brum sans qu'aussitôt ne se scandent des strophes, des phrases, des aphorismes puisés chez tel ou tel auteur, car Brum était un formidable citateur à la mémoire en perpétuel éveil. Il avait à ce point fait du langage son territoire, sans frontières ni capitale, qu'il se mouvait avec une égale aisance en chacune des régions qu'il traversait, et qu'il habitait aussi souverainement chaque lieu de parole où il s'arrêtait un moment. Une bibliothèque en mouvement, aux livres parlant de vive voix et ne s'ouvrant qu'aux pages justes, selon l'instant et l'interlocuteur.

« Tout le mystère qui gît dans la perception. » Depuis bien longtemps le mystère avait déserté la perception des choses, des êtres, du monde, selon Ludvík. Et en cette heure grise et lente, dans ce compartiment puant de relents de crasse et de tabac, dans ce roulis poussif parmi de mornes champs bordés de buissons aux allures de spectres pleins de frilosité, moins que jamais ne luisait ce mystère, seul pesait un sentiment d'ennui, de vanité, et de poisseuse absurdité. Toute la magie de Brum ne pouvait plus suffire désormais pour faire se dissiper un tel désenchantement, aucun poème, si admirable fût-il, n'était plus en mesure de distraire Ludvík de son indifférence, d'imposer le silence au profond bâillement de néant qui n'en finissait plus de s'élargir en lui. Ludvík était tombé trop bas en état de disgrâce intérieure.

Mais la magie de Brum, au fait, il n'en restait plus rien. Le vieil homme que Ludvík venait de quitter n'était plus qu'une contrefaçon de Brum le nomade, il ne vagabondait plus dans les beautés de l'ailleurs, il errait à présent en ronds minuscules dans un terrain vague. Les vastes géographies du songe et de la mémoire qu'il avait si magnifiquement parcourues se trouvaient catastrophées, semées de friches et d'embûches. La mémoire du vieux Brum était plus trouée et désolée que des cratères de lune. À peine s'il pouvait encore parler, trébuchant sur les mots, bredouillant des sons informes, incongrus, un peu comme Hölderlin reclus par la folie dans la maison du menuisier Zimmer, et ne parvenant plus qu'à balbutier des mots au sens indéfini, comme ce vocable en balancier « Pallaksch » qui signifiait tantôt oui tantôt non, et oui et non, ni oui ni non. Pallaksch, Pallaksch, — la vieillesse désheurait la mémoire du grand Brum. Pallaksch, Pallaksch, — la vieillesse disloquait sa pensée et ses rêves, désœuvrait tous les livres.

Ludvík pouvait bien éprouver de la pitié pour cette désolation, elle ne servait à rien, ne portait nul secours au vieux Brum à la dérive. Il aurait fallu une pitié illuminée de pur amour, de patience, d'abnégation, pour réussir à sauver Joachym Brum du naufrage, ou du moins pour apaiser sa détresse. D'un tel amour Ludvík se savait incapable. Il s'aimait trop peu lui-même, ou plutôt de façon trop meurtrie, pour pouvoir s'aventurer si loin dans le souci pour une autre personne. Il manquait à Ludvík cet élan, cette inépuisable générosité que seul octroie l'oubli de soi. Plus l'oubli est profond, plus le cœur est prodigue. Ludvík était simplement las de lui-même, et donc de tout et de tous.

Quelques gouttes de pluie perlèrent sur la vitre et bientôt ruisselèrent en fines stries obliques. Il faisait presque nuit. Ludvík se leva enfin pour allumer le plafonnier qui clignota longtemps avant de diffuser une lumière acidulée. Pallaksch, Pallaksch, le train tanguait mollement sur les rails. Les pensées de Ludvík revenaient sans cesse au vieux Brum. Vrai, que la vieillesse était laide, et si sournoisement cruelle. Cette odeur de ranci, et d'urine, qu'exhalaient les vêtements de Brum. Cette odeur humiliante était aussi pénible à Ludvík que les borborygmes proférés par le vieillard. Cette double déchéance, du corps et de l'esprit, le tourmentait. Serait-il lui aussi frappé un jour par cette humiliation ? Il se demandait quelle était la plus grave douleur, — voir se dégrader l'image de ceux que l'on aime et admire, ou bien voir sa propre image souillée aux yeux des autres ? Il arrive parfois que les deux distorsions de regard s'entremêlent et s'aggravent, comme dans l'échec en amour, en amitié, où l'autre se fait traître ; l'image de soi est alors tellement mise à mal par celui qui déserte que l'on est pris soudain d'une implacable lucidité à son égard. Lucidité d'autant plus aigre qu'elle est trop tardive, et d'autant plus outrée qu'elle est désespérée. Tout le passé est revu à la loupe d'une précision suraiguë, on débusque à rebours les mensonges, les coups bas, les lâchetés de l'infidèle, et on les noircit à l'excès. Et l'on est ainsi deux à s'observer par le petit bout de la lorgnette, à se miniaturiser et caricaturer mutuellement. La mésintelligence de l'amour est alors à son faîte, et le cœur au plus veule.

Le pire, dans ce grotesque jeu de réduction et de ternissement d'images des uns et des autres, de l'un par l'autre, c'est peut-être la flétrissure de l'image de soi-même à ses propres yeux, lorsqu'on se surprend à agir, ou même à penser, comme ceux-là dont on réprouvait les actes, méprisait les pensées. Alors le dégoût se retourne contre soi, et l'on se tient en mésestime, déçu, voire ulcéré, de se découvrir si médiocre. Il est ensuite bien difficile, à partir de ce degré zéro de la mise en miroir, de porter sur les autres un regard d'admiration ou de miséricorde ; le chien boiteux, pouilleux, qui geint au fond de soi ne sait plus qu'éventer en tout, en tous, d'arrière-odeurs de petitesse, de vanité. Jusqu'en Eva, la nièce de Brum qui se dévouait avec tant de patience à son oncle, Ludvík ne pouvait s'empêcher de flairer des relents de fadeur. Comme une plante maladive elle avait greffé sa vie sur celle de son oncle, faisant à ses côtés office de servante, de dame de compagnie, de secrétaire, et à présent de sœur de charité. Le temps ne semblait avoir aucune prise sur elle. Ludvík l'avait toujours connue grande et mince, voire assez maigre, se déplaçant sans faire de bruit à travers les pièces de l'appartement dont le plancher, les meubles, les vitres brillaient d'un immuable éclat, et elle-même, à force de laver, d'astiquer, de polir, paraissait lustrée comme un tissu. Mais bizarrement ce lustrage la rendait terne. Une femme tout en os et en silence, s'affairant continuellement aux soins domestiques, avec lenteur et gravité. Une femme sans âge, sans relief ni saveur, dont la bonté sonnait le creux d'un cœur résigné à la monotonie des jours.

Dans sa jeunesse pourtant, du temps où il était un étudiant de Brum, il avait eu une brève aventure amoureuse avec Eva, — c'était rentrer un peu dans l'intimité du grand Brum que de flirter avec sa nièce qui vivait sous le même toit. Leur amourette avait pris fin brutalement, du fait d'Eva. Un beau jour en effet celle-ci s'était détournée de lui, lui battant froid, sinon glacial, sans crier gare ni donner la moindre explication. Cela n'avait guère affecté Ludvík qui ne se privait pas de batifoler avec d'autres filles en marge de leur chaste romance et il n'avait pas cherché à connaître les raisons de ce brusque, et définitif, refroidissement des sentiments d'Eva qui ne daignait même plus lui serrer la main. Tout cela était une histoire si ancienne, Ludvík n'en gardait plus le souvenir. Et lorsque l'avant-veille il l'avait revue après plus de onze ans, il n'avait éprouvé aucune émotion. Juste de l'étonnement, de la retrouver si peu changée alors que Brum, lui, était à peine reconnaissable et devenu si pathétique ; à croire que les années qui semblaient avoir glissé sur Eva, n'effleurant que ses cheveux qui grisonnaient légèrement aux tempes, n'avaient agi que sur Brum, redoublant leur effet d'usure et de délabrement.

Pallaksch, Pallaksch, le train roulait dans la nuit, sous la pluie. Ce voyage n'en finissait pas. C'était la vie qui se traînait, qui s'enlisait. Ludvík ressentait cette même nausée qui lui avait fait fuir, onze ans plus tôt, son pays. Un exil sans héroïsme ni romantisme ; c'était par un souci d'hygiène mentale que Ludvík avait décidé un jour d'émigrer. Ce projet avait longtemps couvé en lui, mais de façon confuse, et soudain, comme une maladie se déclare après une longue période d'incubation, l'intention s'était muée en urgence. Le déclic s'était produit à Mariánské Lázně, par un doux après-midi d'automne. Il s'y trouvait de passage, venu rendre visite à un parent en cure.

Il était bien loin le temps glorieux des curistes aux fronts ceints de couronnes, qu'elles soient royales ou impériales ou encore de laurier tressées par les muses de la poésie et de la musique, et qui venaient soigner au son des violons et des sources leurs langueurs hépatiques et leurs peines de cœur. On s'y enivrait d'eau gazeuse, de romances et d'émois amoureux, on y respirait à pleins et délicats poumons la saine odeur des résineux cernant la jolie ville à colonnades, à bulbes, à fontaines et à stucs dorés, et on se pâmait de passions aussi chagrines que voluptueuses. De cette époque souveraine il ne restait plus désormais qu'un décor assez lépreux. Seul demeurait intact, et scrupuleusement suivi, le sage conseil de Goethe prodigué en ample connaissance de cause, de ne jamais se rendre dans une ville thermale sans avoir la précaution de s'énamourer, sans quoi on risquait fort de périr d'ennui. De jeunes bidasses de sortie de leur caserne arpentaient les rues, tenant gauchement par la main une nigaude aux joues fraîches et à vilaine robe achetée à la coopérative ; des couples de sexagénaires ventripotents roucoulaient dans les allées des parcs, tout émus de savourer encore une fois les charmes des amours adultères ; sous les arcades, des musiciens maussades débitaient des pots-pourris d'airs sirupeux devant un parterre de vieilles dames qui dodelinaient de la tête pour mieux s'imprégner des mélodies, s'interrompant parfois pour porter à leurs lèvres leur tasse en faïence remplie d'eau à bulles et à vertus thérapeutiques. Chacun rusait comme il pouvait, tant qu'il pouvait, avec l'ennui, mais celui-ci s'imposait le plus fort, nul n'en venait à bout, il rongeait les façades des maisons, rouillait les cœurs, corrodait l'air et la lumière. Ludvík, en flânant à travers les rues et les parcs où déambulaient tant de couples de tous âges, avait été frappé par l'atonie des visages aux sourires niais, dénués de joie, aux yeux inexpressifs, embués de somnolence ; ils avaient beau se tenir par la main, par la taille ou les épaules, échanger des baisers, des sourires, de furtives caresses, le cœur n'y était pas, le cœur ne parvenait pas à battre, à flamboyer, à rire. Le cœur était navré de vide et de fadeur.

En fin d'après-midi Ludvík était passé près d'une auberge située un peu hors de la ville. De longues tables et des bancs en bois étaient disposés dans le jardin, des lampions aux couleurs criardes se balançaient à des fils tendus au-dessus des tables ruisselantes de bière, un haut-parleur grésillant répandait une musique si laide et grasse qu'elle évoquait une coulée de saindoux. Et, au son de ces beuglements graisseux, dans l'air du soir saturé d'odeur de bière et de saucisses, sous les lampions couleur d'agrumes et de tomates, chaloupaient des danseurs nostalgiques de leur jeunesse depuis longtemps révolue. Ils tanguaient comme des otaries ballottées par la houle, la houle visqueuse des flonflons, et les assis applaudissaient à grand fracas et heurts de chopes ces lourds vétérans de guinguette. Un couple qui avait dansé plus longuement et pesamment que les autres reçut une ovation tonitruante ; alors ces héros du bal, essoufflés et béats, avaient salué leur public en inclinant la tête de tous côtés puis étaient revenus à pas mal assurés vers une des tables. Et c'est à ce moment que Ludvík, qui se tenait accoudé à la barrière du jardin et regardait la fête, avait remarqué que ces deux danseurs étaient aveugles. Leurs yeux étaient vitreux, et leurs gestes incertains. Cette découverte avait provoqué un court-circuit dans l'esprit de Ludvík : ce couple de patauds qui venait de guincher sans rien voir alentour, de se dandiner dans une nuit toute poissée de bière et de glue musicante, tandis que par-delà les montagnes rougeoyait le couchant et que les oiseaux lançaient leurs chants flûtés à l'orée des forêts, ce couple somnambule lui était apparu comme l'incarnation même du mal dont souffrait son pays, — une asthénie du goût et de l'esprit, une anémie du cœur, une cécité de l'âme. La médiocratie au pouvoir avait inoculé cette maladie aux gens en prenant soin de les claquemurer dans l'étau des frontières afin d'en contaminer le plus grand nombre. Ce couple était le parangon du citoyen modèle, — infirme de liberté, repu de leurres et de mensonges, et satisfait de l'être. Ludvík s'était redressé derrière la barrière, avait tourné les talons et d'un pas dru était revenu vers la ville ; tout en marchant il avait pris sa décision : il allait émigrer, il le fallait, et le plus vite possible. Ce qu'il avait fait, dès le mois suivant.

Pallaksch, Pallaksch, le train roulait dans la nuit, sous la pluie. Ce voyage ressemblait à sa vie qui se traînait, qui s'enlisait. Ludvík ressentait une nausée plus grave encore que celle qui lui avait fait fuir autrefois son pays. Car à présent le mal était en lui, inversé, certes, mais tout aussi sournois et sclérosant ; il était repu de liberté, mais infirme d'idéaux, et amèrement insatisfait de l'être. Pendant ces onze années passées à l'étranger, il avait beaucoup voyagé, exercé divers métiers, rencontré foule de gens, noué quelques amitiés, connu plusieurs amours dont un, si vaste et si ardent, qu'il avait éclipsé tous les autres; il l'avait ébloui, puis laissé nu, tout écorché, désemparé.

Plusieurs mois après qu'Esther l'eut congédié, il l'avait revue un jour, par hasard. C'était dans une station de métro, lui se tenait sur une marche de l'escalator en montée, elle sur une de l'escalator en descente. Il y avait trop de monde agglutiné devant et derrière lui pour qu'il puisse s'échapper. Mais, quand bien même le lieu aurait été désert, il serait resté pétrifié sur sa marche. À l'instant où il l'avait aperçue, avant que la moindre réflexion n'ait eu le temps de lui venir à la pensée, il avait ressenti un violent haut-le-cœur et tout, à l'intérieur de son corps, s'était comme révulsé. Il n'était soudain plus maître de lui-même, et surtout pas de ses yeux. Il ne pouvait détacher d'elle son regard, elle se dressait telle une apparition. Malgré sa petite taille elle dominait la foule, malgré son manteau ordinaire et son allure somme toute banale elle s'imposait, absurdement, en majesté. Sa Majesté l'Aimée, sa Majesté très infidèle. Elle descendait vers lui, et il n'y avait qu'elle, toute la masse humaine autour d'elle et de lui était couleur de cendres, insignifiante jusqu'à la transparence. Elle descendait vers lui, sur lui, elle lui rentrait à vif dans le cœur, et elle fracassait tout, bien qu'immobile. Elle descendait en lui, au plus profond de sa folie. Et lui montait, halluciné, vers l'à-pic de son visage légèrement détourné, vers la nuit blanche de ses yeux qui ne le voyaient pas, vers la jachère de son cœur qui ne sentait même pas sa présence, qui ne devinait

rien. Il était le laissé-pour-compte, le répudié, le déjà
oublié, et il l'aimait toujours, envers et contre tout,
contre sa propre volonté, son orgueil et sa raison, et
il était mortifié d'avoir l'insanité de l'aimer encore,
jusque dans le dégoût, la colère, le mépris qu'elle
engendrait dorénavant en lui. Il montait comme un
condamné, abruti de panique, de chagrin, vers cette
femme désormais intouchable. Il montait en chute
libre dans le désert de l'amour même.

Alors il avait décidé qu'il lui fallait partir, quitter
cette ville où il avait pourtant établi sa demeure
depuis plusieurs années. Il ne voulait plus risquer de
revoir cette femme qui gardait encore tant de funeste
pouvoir sur lui ; il ne voulait pas devenir le chien d'un
fantôme, l'esclave d'une illusion perdue. À nouveau
donc, ce fut par un souci d'hygiène, psychologique et
affective, qu'il déclara le sauve-qui-peut. Il s'ensuivit
un exil à rebours, puisque entre-temps son pays avait
rouvert ses frontières et décrassé l'air ambiant. Mais il
n'est pas si aisé de revenir à la case départ, surtout
quand celle-ci a bougé, a fait peau neuve, et cela avec
trop de hâte et de clinquant, troquant la loi du parti,
sa langue de bois et son art du mensonge contre la loi
de l'argent, son sabir aux relents de marshmallow et
son art du trompe-l'œil. Revenu dans sa ville natale,
où déferlaient continûment des hordes de touristes,
zonaient des glandeurs en rupture d'études mais pleins
d'ambitions artistiques, grenouillaient des hommes
d'affaires, crapahutaient des arrivistes de tout poil,
tandis que ramaient les gens du cru peu habitués
encore à ce nouveau tempo, Ludvík avait dû repartir
de zéro, ou presque. Il ne s'en plaignait pas, il avait

acquis une solide formation en matière de tirage du diable par la queue. Et puis il était bien trop indifférent à tout, à lui-même, pour être homme à se plaindre ou à récriminer. Il vivotait de traductions et d'articles, fréquentait quelques amis et se contentait de liaisons passagères quand l'occasion se présentait.

Il était donc rentré, mais en apparence seulement. Au fond il n'était jamais ressorti de ce désert de l'amour où il avait chuté, et il ne s'agissait pas de celui de la passion uniquement, dont on finit au fil du temps par consentir à prendre le deuil, mais d'un désert bien plus ample, celui de l'amour des êtres, de soi et de la vie, celui de la tendresse et de la compassion. Il n'y avait plus en lui ni flamme ni élan, plus de capacité d'étonnement et de désir, rien qu'une curiosité demeurée vive, par disposition naturelle et habitude. Mais une curiosité très en fragments, superficielle et sans constance. Ainsi zigzaguait-il d'un pôle d'intérêt à un autre, d'une anecdote à une autre ; les gens ne lui étaient supportables qu'à doses homéopathiques, la vie que par à-coups. Il était en tout domaine un amateur de brèves. Mais entre deux sursauts il se réenlisait dans la mélancolie.

Ce soir-là tout concourait à porter à l'aigu la basse continue de sa lassitude ; ce train sans souffle, cette pluie lancinante. Et il se sentait vieilli de la vieillesse de Brum, atteint, par un obscur ricochet, en un point insituable mais douloureux de son être. Il bâilla soudain si fort de découragement que ses yeux s'emplirent de larmes. Il se leva et sortit se dégourdir les jambes dans le couloir. Quand il revint s'asseoir il découvrit qu'un passager s'était installé pendant son absence sur la banquette en face de lui. Cette présence lui déplut, il n'était pas d'humeur à lier conversation, pas même à endurer la moindre compagnie. Mais l'intrus ne lui accorda aucune attention, il se tenait le dos bien droit contre son siège, les bras croisés sur la poitrine, le visage tourné vers la fenêtre. Ludvík reprit sa revue qui se rouvrit à la même page avec obstination ; il tourna les pages, agacé, et entama un autre article, mais sans parvenir à se concentrer.

Le passager continuait à contempler la fenêtre toute brunie de nuit. Ludvík, dont le regard distrait errait de son magazine à la fenêtre, remarqua que l'homme l'observait à la dérobée par le biais du reflet de son visage sur la vitre. Il fit pareil, masquant son indiscrétion par la fumée d'une cigarette. Mais dans ce jeu de miroir enfumé le visage du passager demeurait flou, Ludvík ne captait qu'un profil évanescent d'un ocre pâle sur fond de nuit rayé de pluie. Quelque chose cependant l'intriguait dans le peu d'image qu'il parvenait à dérober, il lui semblait déceler un je-ne-sais-quoi de familier dans le profil de l'inconnu, sans pouvoir cependant se rappeler la personne qu'il lui évoquait. Son enquête tourna court car il ne tarda pas à s'assoupir tant le berçaient le roulis du train et le martèlement de la pluie au carreau. Sa tête bascula sur sa poitrine et il sombra dans le sommeil. Ce somme en fait fut de courte durée, mais suffisant pour qu'un rêve fait de lambeaux de souvenirs et d'impressions présentes le troublât.

Il marche dans sa ville, mais celle-ci est transfigurée, son architecture est hétéroclite car des édifices d'autres villes se mêlent sans rime ni raison à ceux du lieu. Ainsi le donjon d'un château fort de la région de T. se dresse au loin sur la colline de Vyšehrad à la place des deux tours de l'église Saint-Pierre-et-Saint-Paul, les ruines de la synagogue de Berlin jouxtent l'église Saint-Nicolas, le bief Čertovka est à sec, un amas de ferrailles, de carcasses de voitures s'y entasse, des statues semblables à celles du bassin de Latone à Versailles grimacent sur le parapet du pont Charles, lequel, soudain réduit à une passerelle en bois, mène tout droit vers un faubourg de la ville, du côté de Vršovice.

Ludvík marche dans une rue bordée de maisons bâties tout de guingois. Cette rue fantasque semble à l'abandon, les façades prêtes à s'écrouler. Tout ce chaos tient cependant debout, comme soudé par la nuit d'un noir intense, glacé, qui laque le ciel et les murs. Il pleut, mais cette pluie ne mouille rien. Il tombe un grésil sec et dru qui, en frappant le sol et les toits, émet un son pareil à celui d'une épinette. Cette musique obsédante se répand dans tout le quartier dont les rues vides sont très sonores.

Il entre dans un bistrot, comme si la musique l'avait jeté là tout à trac. Il descend quelques marches, débouche dans une salle vaste, au plafond bas, si enfumée que l'on distingue mal ce qui s'y passe, et même s'il y a du monde. Dans un coin pourtant il aperçoit une table de billard, démesurément longue, et dont le tapis verdoie avec des chatoiements de vase et de lentilles d'eau. Il lui semble entrevoir à travers la brume qui floconne quelques silhouettes de joueurs armés de queues à reflets argentés ; quand ils se penchent au ras de la table pour viser une bille qui n'existe pas, leurs visages sont un peu éclairés par la réverbération du tapis d'eau verte. Ils ont des faces de grenouilles, celles des statues du bassin de Latone ; ils écarquillent leurs yeux globuleux et ouvrent largement leurs bouches batraciennes en dodelinant de la tête.

Il est assis à une table au bois sombre où luisent des auréoles de bière. Face à lui se tient un homme à demi dissi-

32

mulé derrière une antique machine à écrire. Le bonhomme, penché sur le clavier, ne cesse de taper, avec autant de maladresse que d'obstination ; le bruit saccadé des touches est le même que celui du grésil sec. Ces sons martelés le criblent de clous invisibles qui le rivent à sa chaise. Le type jette par instants vers lui de rapides regards inquisiteurs, comme s'il enregistrait une déposition. Au bout d'un moment Ludvík s'énerve et s'exclame : « Mais enfin, que pouvez-vous bien écrire ? Vous ne m'avez posé aucune question et je ne vous ai rien dit ! » Alors l'homme lui crie : « Ce qu'un homme ne dit pas est le sel de la conversation ! » Et sur ce il se lève brutalement en hennissant et en frappant des sabots sur le sol, car Ludvík découvre que la moitié inférieure du corps de cet individu est celle d'un cheval. Le centaure dactylo envoie d'ailleurs quelques ruades autour de la table tout en continuant à hennir d'une voix perçante, et en partant il fouette la face de Ludvík d'un cinglant coup de queue.

Ludvík se réveilla en sursaut. Le rideau de la fenêtre, agité par un courant d'air, lui tapait le visage. Le train venait de s'arrêter dans une gare dont il ne parvint pas à lire le nom car son wagon stationnait trop en retrait du quai. Le passager avait dû descendre, le compartiment était à nouveau vide. Le voyage dura encore une heure et enfin ce fut le terminus. Ludvík se leva pour prendre son sac et son imperméable : quand il déplia celui-ci hors du filet où il l'avait posé il se rendit compte que ce n'était pas le sien. La marque, la taille, la coupe et la couleur étaient bien identiques, mais nullement son état. Cet imperméable jumeau était tout froissé, élimé au col et aux manches, lustré aux coudes, il manquait des boutons, l'ourlet était à moitié décousu, la doublure émaillée de trous et l'ensemble fort crasseux. Et, pour agrémenter d'un brin de dérisoire élégance cette pouillerie d'épouvantail, une tige de salicorne en ornait la boutonnière. Ludvík soupçonna tout de suite le passager descendu une heure auparavant et il se demanda si cet olibrius avait échangé volontairement ou par inadvertance son imperméable loqueteux contre le sien. Quoi qu'il en soit le troc s'avérait un désastre et Ludvík pesta contre l'inconnu. Il fouilla les poches dont le fond bien sûr était déchiré, puis inspecta celle du revers sur la poitrine. De celle-ci il extirpa un petit pot en verre qui contenait quelques cristaux grisâtres. Sur une minuscule étiquette collée sur le couvercle était écrit le nom de la mine de sel de Wieliczka. « Le beau trésor que voilà, maugréa Ludvík en ouvrant le pot et en versant les éclats de sel gemme dans sa paume, des diamants qui n'ont pas mûri ! Vraiment, ce voyage aura été saumâtre à l'excès ! » Il jeta les cristaux sur le sol, le pot dans la poubelle, et continua sa fouille, mais il ne trouva aucun papier, aucun autre objet, nul indice dans l'imperméable qu'il abandonna sur la banquette.

Ce ne fut qu'en sortant de la gare qu'il se souvint que dans une poche de sa gabardine disparue il avait laissé une enveloppe qu'Eva lui avait donnée au moment de son départ, après qu'il eut pris congé du vieux Brum dont il avait serré la main tremblante. Une grosse enveloppe en papier kraft qui contenait un carnet de format moyen. « Tenez, c'est pour vous, lui avait-elle dit alors qu'il se tenait déjà sur le seuil. C'est un cahier dans lequel Joachym jetait des notes, des idées, un peu en vrac. Une sorte de brouillon de textes ou de travaux qu'il projetait d'écrire. À présent il n'en a plus besoin. — Mais vous ? Vous ne désirez pas le garder ? avait demandé Ludvík. — Non, il reste tant d'autres carnets, de papiers, de livres… prenez cela en souvenir de lui. » Il avait glissé l'enveloppe dans sa poche et avait négligé de l'ouvrir dans le train ; ou plutôt, il éprouvait un tel malaise en pensant au vieil homme hagard qu'il venait de quitter, qu'il avait remis à plus tard la lecture de ce cahier et préféré feuilleter sa revue d'art. Mais maintenant le carnet était perdu, et cette perte l'affligea bien davantage que celle de son imperméable. Il oscillait entre le regret, la colère, tant contre le passager du train que contre lui-même, et la honte. Pour une fois qu'Eva lui témoignait de la confiance, il s'en montrait aussitôt indigne. Il fila chez lui, transi de froid, et d'une humeur de chien.

Face à faces

Le lendemain, vers midi, Ludvík entra dans l'auberge de l'Oural pour déjeuner rapidement. Tout en mangeant un ragoût de porc et une salade de choux il pensait à Brum, à la vieillesse, cette tombée de rideau si cruellement lente et humiliante. « La mort saisit le vif, mais sans l'emporter tout à fait ; lémures sécrétés par le temps… » se dit-il en secouant la salière au-dessus de son assiette. Elle était vide. Faute de mieux, il jeta une pincée de paprika. À ce moment arriva un groupe de sept ouvriers qui s'installèrent autour de la table où il était assis. Ils parlaient fort, mais Ludvík ne prêta pas l'oreille à leurs propos, il continuait à ratiociner sur la vieillesse. Comme il tendait la main vers la corbeille emplie de petits pains, l'un des convives fit le même geste et leurs doigts s'effleurèrent sur la croûte d'un pain incrusté de grains de gros sel. Ludvík retira aussitôt sa main, l'autre poussa alors la corbeille vers lui et attendit qu'il se serve. C'était un jeune homme, de stature assez frêle, vêtu d'un bleu taché de cambouis, comme ses compagnons. Il avait un long visage osseux, des cheveux filasse, d'un blond cendré, noués sur la nuque en queue-de-cheval. Quelques poils follets parsemaient son menton. Il portait un anneau d'argent à l'oreille droite. Son voisin avait les bras tatoués.

Sa dernière bouchée avalée Ludvík appela la serveuse pour payer, une des pièces de monnaie qu'elle lui rendit roula sur la table et vint buter contre la chope de bière du jeune ouvrier. De ses doigts maigres celui-ci saisit la pièce et la fit tournoyer sur elle-même. Elle chancelait parmi les miettes et les grains de gros sel chus sur la nappe, mais bizarrement ne tombait pas. D'un coup d'ongle le jeune homme lui donna une impulsion et la pièce se mit à virevolter avec un équilibre aussi vacillant que têtu. Elle tourbillonnait entre les couverts et les chopes, minuscule feu follet de métal qu'irisait une lueur dont Ludvík ne distinguait pas la provenance. Après bien des zigzags elle se renversa devant lui. «Face», dit le jeune homme d'une voix atone. La pièce était effectivement tombée sur face. Puis il ajouta : «J'avais parié. Et vous?» Ludvík regarda, perplexe, le garçon qui l'observait d'un air impassible. «Parier quoi?» demanda-t-il. L'autre ne répondit pas, mais ses compagnons haussèrent en chœur les épaules en écartant leurs mains en l'air et se figèrent un instant dans cette pose dubitative. Ils avaient tous des ongles cernés de crasse, et Ludvík trouva ça beau, toutes ces mains d'hommes levées à même hauteur dans un geste d'incertitude, et de dérision. Puis ils laissèrent lentement retomber leurs bras. Le jeune homme fixait toujours sur lui son regard lointain, dénué d'expression. Ses yeux avaient une couleur si pâle, d'un bleu fané, transparent presque,

40

que leurs iris semblaient taillés dans quelque morceau de sel, et Ludvík eut soudain l'impression que tous les menus grains épars sur la nappe étaient des éclats de son regard salin tombés en fine pluie d'entre ses cils blonds. Une pensée absurde lui traversa l'esprit. « Ce jeune homme a des larmes d'oiseau de mer dont il parsème les ongles noirs des convives. » Mais bientôt l'insistance de ce regard diaphane et le silence régnant autour de la table le mirent mal à l'aise. Il empocha machinalement la pièce, se leva et sortit.

Il prit le tram pour redescendre vers le centre, mais la journée était si belle qu'il sortit à mi-parcours afin de poursuivre à pied son chemin. La ville exultait de pourpre, de corail, d'orange vif et de jaune ambré ; les toits et les coupoles étaient à l'unisson des arbres que le vent effeuillait, jetant à la volée, par le ciel et les rues, des nuées de feuilles-flammes, de lamelles d'or roux, qui virevoltaient tantôt avec pétulance, tantôt avec nonchalance, selon. Octobre était à ses semailles, et, tout en marchant parmi ces tourbillons, Ludvík se disait que les arbres se mouraient avec autrement de panache que les hommes. Mais, coupant net ses pensées et les mettant en suspens, l'image des ouvriers haussant leurs épaules et levant leurs mains aux ongles noirs d'un air dubitatif fit soudain irruption en lui.

Il se rendit à la Maison de la Cloche de pierre où se tenait une exposition de Jiří Kolář. Il flâna un moment devant les vitrines présentant des poèmes-objets ; de curieux poèmes en épaisseur, en relief, en couleurs. Des poèmes-images sédimentaires composés de strates, de plis et de replis, à l'instar de la mémoire, du cœur, des pensées et des songes. Poèmes orogéniques, images généalogiques, mais dont les couches de terrain défient l'ordre chronologique, et les racines s'entremêlent en tous sens. Puis il examina les collages, des visions de la ville devenue convulsive avec ses façades distordues, ses toits et tours fracassés, enchevêtrés aux nuages, ses églises saoules qui ne tiennent plus debout et se tordent de rire, ou bien de doute, et ses ponts tellement rêveurs qu'ils se renversent dans le fleuve.

Ce qui intrigua le plus Ludvík ce furent les emboîtements d'images, ces inclusions de tableaux en fragments à l'intérieur d'autres tableaux, ces jeux de miroirs déformants, ces fines lacérations de la peau du visible dans les interstices desquelles affleurent d'autres sources plastiques. Des images à clins d'œil pleins d'ironie, de mélancolie, graves ou ludiques, érotiques ou pensifs, selon l'humeur de Kolář, et le regard du spectateur. Et il y avait les portraits ; dans certains parfois il semblait à Ludvík voir percer quelque chose de l'énigme du visage. Des faces concassées, déformées, ou bien géométriquement lacérées, laissant alors sourdre dans les fentes des pans d'autres visages, de corps, de sites et de lieux, d'architectures. Arrière-pays étendus sous les fronts, les paupières, au creux des joues, des bouches.

Dans un portrait Ludvík surprit son propre reflet, — tout aussi lamellé que celui du modèle. Baudelaire découpé sur fond réfléchissant, et jetant abruptement à la face du passant son image en éclats entretissée à son propre visage, comme un écho visuel à son défi lancé à chaque lecteur des *Fleurs du mal*, à tout lecteur, « hypo-

crite lecteur, mon semblable, mon frère!». Mais loin
de rentrer dans les méandres et les tourments baudelai-
riens, Ludvík se sentit simplement un peu dépossédé
de lui-même, — il s'aperçut absent. Il se détourna,
avec un sentiment de vague gêne, et continua sa visite
en s'appliquant à prendre quelques notes sur un calepin en vue d'un article qu'il projetait d'écrire.

Lorsqu'il sortit de la Maison de la Cloche de pierre
le jour déclinait déjà. Pendant un moment la perception et les pensées de Ludvík procédèrent à la manière
de Kolář, par découpage, froissage, collage et entre-
croisement; il en résulta une vision métissée: son
propre visage chantourné enchâssant celui d'Esther,
le tout dans les teintes des feuilles d'automne. Il
chassa l'image et se hâta vers le métro. Mais il avait
dû s'attarder un peu trop longuement dans le monde
selon Kolář et son esprit avait pris quelques faux plis,
des plissures incongrues de pensée et de rétine, — des
«plissés Kolář»; dans le hall de la station où il descendit un jeune homme distribuait des prospectus
publicitaires, Ludvík en prit un machinalement et,
alors qu'il jetait un coup d'œil distrait sur le papier
avant de le balancer dans une poubelle, il lut en sur-
impression du baratin publicitaire un poème ancien
de Kolář qu'il ignorait avoir en mémoire:

> *Cherche dans ta mémoire*
> *dans l'histoire*
> *cherche dans la littérature*
> *un couple d'amants*
> *morts*
> *sans avoir célébré leurs noces*

Fais imprimer en leur nom
des faire-part de mariage
et distribue-les aux passants dans la rue
au jour et à l'heure
fixés
par les faire-part pour la cérémonie.

Sitôt débité dans sa tête, le poème laissa place à une autre pensée en chassé-croisé, — c'est bientôt la Toussaint, se dit Ludvík tout à trac, et il haussa imperceptiblement les épaules. Mais, agacé par ces impromptus de mémoire provoqués par sa visite à la Maison de la Cloche de pierre, il remit à plus tard la rédaction de l'article qu'il voulait consacrer à l'exposition Kolář.

Et ce fut la Toussaint ; des faire-part de noces à jamais révolues fleurirent à profusion sur les dais de pierre abritant des époux, des épouses, des amants, des amantes morts depuis des décennies ou bien quelques années, des faire-part de chagrin, de regrets, brûlèrent en flammeroles rosées et trémulantes sous les portraits ovales des défunts dont les sourires n'en finissaient pas de pâlir. Puis les pluies de novembre dispersèrent et les fleurs et les flammes, seuls demeurèrent les anges aux ailes moussues, dressés entre les tombes comme des faire-part d'éternité, et les chats vagabonds qui maraudaient dans les allées.

Ludvík, lui, ne maraudait que dans sa tête. Il y errait avec lenteur, en quête d'idées et d'élan, car il avait à plancher sur une traduction qui ne l'inspirait guère, et un article à écrire.

Un matin il entra à la Caisse d'Épargne de son quartier. Il se dirigea vers le guichet où s'effectuait le retrait de l'argent. Un employé, qu'il n'avait encore jamais vu, se tenait derrière la vitre. Il avait une tête ronde et lisse et des lunettes aux verres épais cerclés d'argent. Ludvík lui remit le formulaire sur lequel il venait de noter le nom de code de son livret d'épargne, et l'autre, ramassant prestement le papier en y jetant à peine un coup d'œil, coassa à mi-voix ce mot de code. « Le Mat ! ah ah... » Ludvík trouva au bonhomme une fâcheuse ressemblance avec une grenouille. Ladite grenouille pianota sur son ordinateur pour s'assurer de l'état du compte et se lança dans une tirade alambiquée. « Le Mat ! Pff ! Joli nom pour un livret ! Si vous croyez faire fructifier vos économies avec un nom pareil ! Vous avez peut-être pensé que ce personnage du tarot, parce qu'il porte un nom et pas de numéro, est ouvert à l'infini ? Eh bien non, cet arcane sans chiffre équivaut à zéro et on ne le compte même pas dans le total d'un tirage. Le Mat n'est qu'un va-nu-pieds, un gueux errant déguisé en bouffon, portant grelots autour du cou comme les fous et les lépreux, et des chausses déchirées. Et le balluchon qu'il trimbale sur l'épaule, vous l'avez vu ? Il est plat, aussi vide que la tête de cet extravagant. C'est quelqu'un qui ne sait rien acquérir, le Mat, et en plus il perd tout... — Le tarot ne m'intéresse pas », lança Ludvík pour interrompre cet hurluberlu, mais celui-ci poursuivit sa harangue comme si de rien n'était... « Reste à savoir si ce que perd le Mat est bien ou mal. Perd-il son temps, son énergie, en vaines déambulations ? Car, avez-vous réfléchi, monsieur, à la valeur du temps ? Oh, je ne vous pose pas cette question en banquier, loin de là ! Le temps, c'est la menue monnaie qui nous est octroyée afin de payer plus tard notre droit d'entrée dans l'éternité. Malheur à nous si nous la dilapidons à tort et à travers. Nous soufflons sur nos jours comme sur des fleurs de pissenlit, et bientôt le cœur est à nu. Dans l'Apocalypse il est écrit ces mots terribles, "Voici que Je VIENS comme un voleur. HEUREUX qui veille et garde ses vêtements pour ne pas s'en aller nu et qu'on ne voie sa honte !" — Je me fous de l'Apocalypse autant que du tarot, s'écria Ludvík, je ne suis ici que pour retirer de l'argent, pas pour subir un sermon ! — Un peu de patience, fit la grenouille sans détourner les yeux de son clavier, et sa glossolalie reprit de plus belle. Le Mat, feu follet de mauvais augure, soit, mais sa folie est à double tranchant. C'est comme le sel, soit corrosif, soit purificateur. Avez-vous remarqué, monsieur, ce qui orne la pointe de la coiffe jaune de ce vagabond ? Ce n'est pas un pompon, ni un grelot, mais un petit disque rouge. Soleil couchant, soleil d'automne, lune rousse ou planète ignée ? Ce petit astre qui rougeoie derrière le crâne du Mat, c'est la dernière étincelle de raison qui lui reste, son ultime braise de conscience. Il n'en faut pas plus pour ranimer un grand feu. Il n'a donc pas tout perdu. Pour avoir réduit son passé et tout son avoir à zéro il s'est du coup rendu disponible pour l'imprévu, pour l'inespéré. Pour l'éternité. Oui, peut-être est-il bon de s'en aller ainsi, la tête au vent, les poches vides et le cœur troué de pauvreté et de désir d'immensité. S'en aller, s'en aller, par tous les sentiers obliques, se frayer des chemins buissonniers à travers roches et broussailles… — Moi aussi je dois m'en aller, je suis pressé! dit Ludvík en frappant du poing contre la vitre. — J'ai presque terminé », fit l'autre en tapant sur son ordinateur avec une fébrilité croissante; il donnait l'impression de frapper les touches au hasard. Et il enchaîna avec obstination : « Le Mat, le voilà qui surgit, impromptu, et son regard épris d'espace détrône les reines et fait échec aux rois. Il est le bouffon insolent qui ourle de vent le manteau d'hermine des puissants, qui blanchit la pourpre royale et montre ses fesses à la couronne. Il est le coefficient de dilatation qui dénonce la vanité des biens et des gloires de ce monde, le leurre de tout pouvoir, en les faisant enfler ainsi que des outres vides. Dans ce cas le Mat est un sage, un inspiré. L'entendiez-vous en ce sens, monsieur, le nom du Mat, en le choisissant pour mot de code de votre livret ? » Et, sans se soucier une fois de plus d'attendre une réponse de Ludvík, il abattit ses dix doigts sur le clavier comme s'il plaquait un accord, puis fit pivoter sa chaise, se tourna vers un casier d'où il extirpa quelques billets et s'approcha enfin du guichet. Il colla contre la vitre sa face batracienne. Ses cheveux étaient couleur de beurre rance, lissés en arrière. « Voici votre argent », dit-il en posant brutalement les billets dans l'ouverture du guichet. Ludvík remarqua qu'il avait des ongles longs et effilés, beaucoup trop longs pour ses petits doigts boudinés. Il avait envie de l'engueuler mais il se retint de crainte de déclencher une nouvelle avalanche d'inepties. Il se contenta de ramasser les billets et de les compter; tandis qu'il vérifiait la somme, le bonhomme se retourna brusquement sur sa chaise à roulettes et, tapant des pieds sur le sol, il fila à toute vitesse hors de son aquarium en criant «Bon vent dans la lande!». Ludvík releva la tête et eut juste le temps d'apercevoir le dossier de la chaise surmonté d'une grosse tête ronde affublée d'une chétive queue-de-cheval. «Une queue de têtard!» pensa Ludvík avec dégoût.

Le temps de rentrer chez lui, il avait déjà oublié l'incident; seul lui revenait à l'esprit, par intermittence, le cri de «bon vent dans la lande». Ces coups de vent, si dérisoires pussent-ils être, se révélèrent vivifiants, car Ludvík se remit au travail avec un entrain qu'il n'avait plus depuis longtemps. Il débroussailla un chapitre du livre à traduire, puis griffonna quelques lignes au sujet de Kolář, sur son art de pulvériser les évidences du visible, de creuser des trouées d'insolite dans les tableaux les plus célèbres et familiers, de redonner à voir de façon singulière ce qu'on croyait connaître, de donner à revoir ce qui sommeillait au fond de nos pupilles.

Il était encore en train de fureter dans les labyrinthes déroulés par Kolář au versant du visible quand le téléphone sonna. C'était Eva qui appelait pour annoncer que son oncle avait eu une nouvelle attaque la semaine précédente. «Il est très affaibli, dit-elle, il n'a plus la force ni l'envie de s'alimenter, et sa respiration est devenue difficile.» Ludvík, ne sachant trop que dire, proposa de revenir à T., mais cela n'avait guère de sens. «C'est très gentil de votre part, répondit Eva, mais je crains que le temps des visites ne soit passé, Joachym ne semble plus vraiment voir les gens, du moins pas de la façon que nous voyons, nous autres. Il regarde tout en transparence. — En transparence? — Oui, reprit Eva, ses yeux errent dans le vide même quand on penche tout près de lui le visage pour lui parler, et il esquisse des gestes au ralenti en l'air, comme s'il cherchait à saisir quelque chose, ou à suivre les lignes d'un texte à demi effacé. » À ce mot de «texte», Ludvík sursauta. Il se rappela l'incident du train et, redoutant qu'Eva ne lui pose une question au sujet du carnet, il écourta la conversation. Il raccrocha, la conscience inquiète et le cœur un peu lourd. Il se remémora alors la manière dont Brum autrefois accompagnait toujours sa parole de gestes lents pour rythmer ses phrases, souligner certains mots. Et lorsqu'il lisait un texte, plus encore quand il récitait un poème qui, soudain, en douceur, lui venait à l'esprit, il scandait les vers avec ses doigts déliés. Un jour, pendant un cours où il avait longuement évoqué les *Hymnes à la nuit* de Novalis, Brum avait glissé ensuite vers les *Poèmes à la nuit* de Rilke. D'un chant de haute nuit à l'autre. Et tandis qu'il psalmodiait une strophe de sa voix grave où la trame du souffle se laissait percevoir, Ludvík avait cru un instant voir luire certains mots au bout des doigts de Brum, sentir frémir les sons dans le poudroiement de lumière qui s'égrenait de la fenêtre.

Le rêve est la traîne de brocart qui tombe de tes épaules,
le rêve est un arbre, un éclat fugitif, un bruit de voix —;
un sentiment qui en toi commence et s'achève
est rêve; un animal qui te regarde dans les yeux
est rêve; un ange qui jouit de toi

est rêve. Rêve est le mot qui d'une douce chute
tombe dans ton sentiment comme un pétale
qui s'accroche à ta chevelure : lumineux, confus et las —,
lèves-tu seulement les mains : c'est encore le rêve qui
   vient,
et il y vient comme tombe une balle —;
tout, ou presque, rêve —,

                        et toi, tu portes tout cela.

Ce jour-là tout s'adonnait à l'acte de rêver, jusqu'aux grains de poussière dans les rais de lumière, et
surtout l'être entier de Brum, chair et souffle. Et le
mystère du rêve, si tendrement, si troublement enlacé
à la matière des choses, au fluide de l'air, à la texture
de l'heure, se déposait partout en lueurs et frissons.

Brum avait tant porté *tout cela* en lui, — cette
rumeur du monde, ce remuement du temps, les clairs
remous de la lumière du jour et ceux, si lents, qui traversent la nuit, il avait donné tant d'élan, tant d'accent au silence, que *tout cela*, à présent qu'il ne pouvait
plus se porter lui-même, devait le porter. Devait l'emporter comme un radeau de paille vers les eaux hau-
turières, infiniment limpides, de l'invisible. Ludvík
aurait aimé le croire.

La première neige tomba, mais elle ne dura guère.
Ce qui en revanche s'installa, ce fut le froid. Les arbres
étaient tout à fait nus, les piétons complètement
emmitouflés, les uns très immobiles et gris anthracite,
les autres fort pressés et rougeauds, et une fois encore
Ludvík reconnut aux premiers l'avantage de la dignité.
Mais un jour qu'il se faisait cette remarque, une image

surgit, intempestive, dans son esprit et le débouta de sa pensée ; une image pourtant bien dérisoire, celle de cette grenouille de la Caisse d'Épargne qui avait mis un point final à sa logorrhée en frappant des dix doigts à la fois sur le clavier de son ordinateur.

Ce même jour, comme il attendait un tram en s'abritant de la pluie sous un grand parapluie noir à poignée de bois sculpté en forme de tête de canard, un jeune homme accourut et, s'approchant tout près de lui, il lui demanda s'il pouvait se réfugier sous son parapluie le temps qu'arrive son tram. « Ce n'est pas que je craigne la pluie, dit l'intrus tout ruisselant, mais c'est pour protéger ma fleur, elle est si fragile, elle risque de fondre... » Ludvík haussa les sourcils, alors l'autre entrouvrit sa parka d'un beige douteux et laissa entrevoir sa fleur soluble qu'il tenait avec grande précaution sous la doublure. Une fleur étrange, aux pétales biscornus tout en tumescences à facettes d'un gris semi-transparent et à la tige vitreuse hérissée de piquants et de feuilles aux formes irrégulières. « C'est une rose de sel, dit le jeune homme avec un grand sourire, il m'a fallu des semaines pour la faire pousser. Elle est belle, n'est-ce pas ? — Heu, oui, oui... » approuva Ludvík en se grattant un peu l'oreille. L'autre extirpa sa rose saline de son giron et la fit tourner lentement devant les yeux de Ludvík. « La structure est en fer que j'ai ensuite entortillé de ficelle, puis j'ai plongé l'ensemble dans une bassine emplie d'eau saturée de sel, mais en procédant en plusieurs étapes. D'abord la corolle, puis la tige. Elle est belle, n'est-ce pas ? — Tout à fait, tout à fait... » Mais l'autre ne semblait guère se soucier de l'avis de Ludvík, il

51

répétait sa question plutôt sur le mode d'une exclamation. Tout en contemplant sa rose qu'il faisait toujours pivoter sous le nez de Ludvík, il continua : « Née de l'évaporation de l'eau, elle mourrait de son ruissellement trop fort. Les fleurs n'aiment pas la violence. Ma rose est née très lentement, elle a fleuri dans la patience. — Mais si vous êtes si soucieux de votre rose, dit Ludvík, pourquoi donc êtes-vous sorti avec sous cette pluie battante ? — Oh, ça, c'est un secret entre la rose et moi ! Quand il est temps qu'advienne le temps, il faut se hâter. — Oui, bien sûr », opina Ludvík de plus en plus convaincu qu'il avait affaire à un doux dingue, mais comme cette catégorie très hétérogène de gens ne lui déplaisait pas à l'occasion, il poursuivit la conversation sous le parapluie où tambourinaient violemment les gouttes. « Alors, comme ça, soudain, il y a eu urgence ? » L'autre ne répondit pas tout de suite, il pencha légèrement la tête sur le côté, d'un air las, un peu triste, et se tapota les lèvres un instant du bout des doigts de sa main libre. Ses ongles étaient rongés et la peau autour tout écorchée. « Non, pas comme ça, pas soudain, dit-il enfin ; l'urgence date depuis longtemps. Mais elle se déclare à l'improviste. Les roses, qui se nourrissent autant de patience que de lumière, ont un sens très fin, très aigu, de ces menus mystères du temps qui passent inaperçus, ou bien pour des caprices du hasard, aux yeux des gens inattentifs, mais le hasard n'est nullement aussi fantasque et inconséquent qu'on se complaît en général à le croire. Une rose de sel sait cela aussi bien, sinon mieux, qu'une rose végétale. — Mais que sait-elle, exactement ? » Alors le jeune homme changea brusquement d'expression et d'intonation qui se firent dures, agacées presque. « Ce qu'elle sait ? Mais il ne tient qu'à vous de l'apprendre ! Après tout, vous avez une mémoire commune dans le lointain amont du temps, au cœur des mers primordiales. Rebroussez un peu chemin dans vos pensées par-delà le cercle étroit de vos idées toutes faites, surfaites et mal faites de surcroît, risquez-vous donc du côté de l'impensé… ah, mais voilà mon tram ! » Et il planta là Ludvík, s'engouffrant dans le wagon de tête avec sa rose à nouveau blottie contre sa poitrine à l'abri de sa parka ; Ludvík, par précaution, monta dans le wagon de queue car s'il appréciait la fantaisie des doux dingues il ne goûtait guère en revanche les cinglés grandiloquents. Cela lui remit en mémoire l'incident de la Caisse d'Épargne, et il se demanda si une épidémie de dinguerie était en train de se répandre dans la ville ; il repéra bien quelques points de ressemblance entre la grenouille ésotérique de l'autre fois et ce jeune exalté à la rose de sel, mais il glissa sur ces rapprochements. Du coup ses pensées dérivèrent vers des souvenirs qu'il n'aimait pourtant pas se remémorer. Esther, une fois encore. Les roses étaient ses fleurs préférées ; il y avait eu un temps où elle faisait sécher les plus belles d'entre celles que lui offrait Ludvík, et avec elles recomposait des bouquets aux couleurs fanées, aux tiges maigres et cassantes, aux pétales extrêmement fragiles. Certains de ces pétales parfois se détachaient et tombaient comme des élytres d'un jaune sourd, ou lie-de-vin, comme des ongles morts, comme des paupières lasses de couver un songe depuis trop longtemps ressassé. Et lasse,

Esther elle-même le fut un jour ; elle jeta ses bouquets de roses mortes, jolies momies de leurs amours dont elle avait effrité les rêves, éventé la senteur et renié la mémoire. Ludvík secoua la tête, pour en faire tomber ce souvenir, pour s'ébrouer d'un mauvais rêve.

La neige tomba à nouveau, plus drue et plus tenace cette fois. La ville se préparait à fêter Noël en grande tenue d'hiver.

Et Brum ? s'inquiéta soudain Ludvík un matin en sortant dans la rue, comme si la réverbération de la lumière sur les branches enneigées des arbres venait de lui éblouir un recoin du cerveau qu'il avait négligé. Il hésita, puis se décida enfin à appeler Eva. Elle lui dit que son oncle déclinait lentement et que d'après les médecins il n'y avait plus rien à espérer. Ceux-ci s'étonnaient même que Brum soit encore en vie, capable parfois de surprenants sursauts d'énergie qui le faisaient se redresser dans son lit, proférer quelques mots d'une voix distincte ; ils ne comprenaient pas d'où ce vieillard à l'agonie parvenait à puiser la force de résister ainsi. Puis elle ajouta des propos qui parurent une fois de plus bien fumeux à Ludvík : « Mon oncle n'a pas fini de surprendre les médecins, car l'heure de sa délivrance n'est pas si imminente qu'ils le croient. Il tiendra jusqu'à sa date. » Ludvík lui demanda à quelle date elle faisait allusion, mais elle fit une réponse encore plus sibylline. « Une date à rebours, loin, loin dans l'histoire. » Il n'osa pas insister de crainte qu'elle n'en vienne à parler du carnet dans lequel, peut-être, Brum avait mentionné quelque chose à ce sujet. Aussi demeura-t-il dans la perplexité.

Les cartes de vœux commencèrent à se glisser dans la boîte aux lettres de Ludvík. Parmi ces cartes il en trouva une dont il ne comprit ni l'image ni le message griffonné au revers. À vrai dire l'image était inexistante, ou presque ; un barbouillage d'un blanc crémeux, évoquant une flaque de lait caillé un peu plissé et jauni par endroits. Le texte était aussi brumeux ; quelques lignes à l'encre sépia tracées d'une écriture informe, hachurée, que Ludvík ne parvint pas à déchiffrer. Il ne s'attarda guère à décoder ce gribouillis, les formules de vœux étant toutes plus ou moins identiques. Quant à la signature, elle était tout à fait illisible, — une sorte de ligne sismale. Il réfléchit un moment, agitant la carte comme un éventail, chercha quelle personne parmi ses connaissances pouvait bien manier le stylo avec une telle disgrâce, mais il ne trouva pas. Il finit par renoncer et, posant la carte sur une étagère, il l'y oublia bientôt.

Sa traduction avançait à pas toujours plus lents ; l'auteur de l'ouvrage faisait souvent référence à Rabbi Loew, le Maharal de Prague, dont Ludvík ne connaissait que les légendes brodées en marge de son mystérieux personnage, mais nullement sa pensée et son œuvre qui s'étendaient, immenses et obscures, derrière l'image fantasque de la fable. Il commença à noter dans un calepin les passages qui lui donnaient des difficultés afin d'aller ensuite se documenter à la bibliothèque. Cela lui rappela le temps de sa jeunesse, quand il restait des journées entières à étudier dans la salle de lecture du Klementinum.

Noël passa sans qu'il y prit garde. Le soir de la Nativité il s'attarda dans un café à jouer au billard, l'unique jeu auquel il aimait s'adonner. Un jeu qui s'accommodait à merveille à son goût du silence et de la solitude. Lorsqu'il sortit après une longue partie jouée en solitaire, les rues étaient désertes, les fenêtres des immeubles vivement éclairées. En débouchant sur une place il vit des gens en grand nombre descendre les marches de l'église dressée au centre. Par le portail ouvert affluait une lumière couleur de paille qui semblait pousser en douceur tous les fidèles vers le parvis. Ceux-ci s'en allaient à petits pas chancelants, ou bien dansants, par les sentiers verglacés du square aux pelouses chatoyantes de neige micacée. Ludvík pensa à Brum ; en quel songe dérivait-il tandis qu'il gisait sur son lit d'hôpital sous l'œil intrigué des médecins ? Était-ce vers l'enfance qu'il s'en retournait ? Mais alors, quelle détresse, quel dénuement d'enfance à l'abandon il lui fallait endurer ! Nativité à rebours, et délocalisée, car non plus à Bethléem, mais à Gethsémani.

Il rentra chez lui. Avant de se coucher il jeta un coup d'œil sur les notes qu'il inscrivait dans son carnet puis s'installa un moment devant son ordinateur pour passer en revue les deux chapitres déjà traduits mais dont certains passages restaient en blanc. Rabbi Loew s'inscrivait en creux dans ce texte qui s'avérait plus ardu que Ludvík ne l'avait cru au début. En se relevant il aperçut la carte blême qu'il avait posée sur une étagère. Ainsi regardée sous un éclairage électrique et non plus à la lumière du jour, elle se révélait légèrement différente ; le blanc de l'image était plus nuancé qu'il n'y paraissait à première vue. De vagues formes se devinaient dans la partie gauche de l'image, mais peintes presque ton sur ton ; une imperceptible modulation entre le blanc ivoire et celui d'une coquille d'œuf. Il hésita à jeter cette carte à la poubelle, puis finalement la remit à la même place.

Il passa la soirée du Nouvel An avec quelques amis. L'un d'eux raconta une anecdote assez drôle qu'il ramenait du village de ses parents en Slovaquie où il était retourné pour les fêtes de Noël.

Depuis des années les villageoises constataient, impuissantes et furieuses, la disparition de tous les rubans de tissu ornant les couronnes et les gerbes déposées sur les tombes lors des enterrements. Dès le lendemain des obsèques il ne restait plus un seul ruban funéraire. Mais le larron ne semblait pas complètement impie, car il ne volait pas les fleurs, qu'elles soient fraîches ou en plastique, et les reposait bien en ordre sur la tombe ; il ne dérobait que les beaux rubans brodés de regrets éternels. Mais ces larcins étaient ressentis comme autant d'outrages, de profanations, par les vestales en fichu du vieux cimetière qui criaient au voleur, au scandale, voire au démon. Car on ne savait trop qui pouvait bien s'obstiner de la sorte à commettre cet affront à l'égard des morts et des familles en deuil, — était-ce quelque scélérat en chair et en os ou un esprit malfaisant ? Et dans quelle perverse intention ou même noir dessein, volait-il ces garnitures de fleurs mortuaires ? On monta le guet, tendit des pièges, en vain. Par prudence les vieilles bigotes demandèrent un jour au prêtre de venir réciter des prières d'exorcisme dans l'enceinte du cimetière, au cas où il se serait agi d'un démon en maraude ou de l'esprit dévoyé d'un pécheur frappé de malmort et se vengeant ainsi de ses tourments posthumes en chapardant les pieuses pensées déposées sur les tombes des braves morts. Mais rien n'y fit, les larcins continuèrent.

Ce dernier Noël, enfin, apporta le dénouement. À la sortie de l'office du matin, alors que toutes les ouailles reprenaient le chemin de leur maison, la grosse Ludmilla, une commère parmi d'autres, glissa sur la route gelée. Et la voilà le cul par terre, la jupe relevée jusqu'au menton. Alors ses compagnes qui trottinaient alentour reçurent la révélation du mystère : les jupons de Ludmilla étaient entièrement décorés des fameux rubans disparus. Elle les avait cousus avec grand art sur ses dessous que nul n'aurait eu l'idée de trousser. Depuis des années donc, Ludmilla allait incognito, les fesses au chaud sous ses jupons rehaussés de regrets éternels et de chagrin lyrique. Et cela la comblait d'une joie mélancolique, c'était son doux secret funèbre. Dans le froufrou de ses jupons, elle, et elle seule, percevait des soupirs de désolation, des bruissements de larmes, des murmures de l'au-delà. Mais à cause de son fatal gadin c'en était dorénavant fini de ses très intimes conciliabules avec les morts ; les autres commères, saisies d'une sainte colère, lui arrachèrent ses cotillons blasphématoires. Et maintenant la pauvre Ludmilla devait avoir les fesses en berne et le cœur bien au froid.

Le récit de ce drame burlesque requinqua Ludvík, comme si les jupons de Ludmilla avaient flanqué un coup de torchon aux pensées anxieuses et aux doutes confus qui s'immisçaient de plus en plus dans son esprit depuis quelque temps. Après tout, tous ces pseudo-mystères qui se tramaient l'air de rien autour de lui étaient peut-être aussi anodins et dérisoires que celui qui avait si longtemps nimbé la disparition des rubans funéraires.

Et le compteur tourna, il y eut un chiffre de plus au cadran du siècle. La carte demeurée anonyme blanchoyait toujours sur l'étagère. Ludvík, qui passait de longues heures devant son ordinateur à barboter dans sa traduction, aimait bien, lorsqu'il relevait les yeux de l'écran qui lui fatiguait la vue, poser son regard sur ce rectangle blanc crémeux. Cela le reposait, c'était une sorte de petite fenêtre ouverte sur un vide nuageux où des remous de formes se profilaient parfois, mais si fines, impalpables, qu'il n'était jamais tout à fait sûr de ce qu'il croyait entr'apercevoir.

Un matin il se rendit à la bibliothèque pour consulter des ouvrages, quêtant des informations au sujet de Rabbi Loew. Son carnet de notes commença à prendre un aspect de toile d'araignée aux fils laborieusement tissés, mais encore loin d'être reliés.

Lorsqu'il sortit de la cour du Klementinum, vers une heure, le ciel se dégagea soudain et le soleil, aussi blanc qu'un os de seiche, luit très haut, avec éclat. Cette subite crue de lumière bleuit le ciel et fit étinceler la neige sur les toits. La statue de Rabbi Loew dressée à l'angle de la mairie resplendissait de givre, et la neige amoncelée contre la joue, sur les cheveux et au creux de la cambrure des reins de la jeune fille nue élancée à son flanc, comme une hampe cherchant appui, ruisselait en fondant le long de son torse, de ses hanches, de ses cuisses. Elle évoquait une nageuse épuisée qui renonce à lutter et glisse lentement, à la verticale, vers l'abîme. Une ondine couverte d'écume qui s'en retourne vers la nuit et le silence des eaux profondes. L'immense barbe ondulée du Maharal semblait d'algues argentées, et lui, un génie des eaux polaires.

Ludvík qui d'habitude, lorsqu'il passait près de cette statue, ne lui accordait guère d'attention tant elle faisait partie du décor urbain, la regarda plus longuement.

C'est que le Haut Rabbi Loew lui donnait du fil à retordre depuis quelque temps ; il s'était plongé dans la lecture de son grand ouvrage, *Le Puits de l'exil*, et, face à la sculpture de Ladislav Šaloun, il repensa aux vers ouvrant le chapitre du « Cinquième puits » qu'il venait juste de lire :

Dans le cinquième puits, il y a des eaux profondes ;
Dans ses profondeurs, sont gravées des pierres précieuses ;
ceux qui sont capables de nager en extraient des perles,
Elles apparaissent comme les lisses cailloux d'un torrent et
ressemblent à des glèbes et à des pierres lointaines ;
Mais ce sont des pierres étincelantes comme des éclairs qui
projettent leur éclat jusqu'au bout du monde.

Le Maharal et la jeune naïade agrippée à son bras venaient de telles eaux profondes, glacées ; lui, un rocher emporté par le torrent, elle, une plante aquatique enlacée à la roche.

Grand bloc rugueux, raviné, il étincelait du fond des siècles dans lesquels il avait puisé son savoir et forgé sa sagesse ; frêle tige volubile, elle luisait du fond d'un temps immémorial où elle avait puisé son sommeil et forgé sa folie.

Mais le ciel se couvrit à nouveau et la sculpture se plomba d'ombre ; elle parut se rencogner dans la niche du mur et le long corps drapé du Maharal n'eut plus rien d'aquatique. Seule s'imposait la matière, massive et sombre, comme si elle était à remodeler. Et c'était bien ainsi, durs et obscurs, que ses textes allaient continuer à s'imposer à Ludvík.

Il partit faire un tour dans le quartier et rentra dans un débit de boissons. La salle était enfumée, bruyante. Il commanda une bière au comptoir. Tandis que le serveur rinçait une chope avant de la lui remplir, un consommateur debout près du zinc leva lentement son verre empli de slivovice en direction de Ludvík. C'était un homme d'une cinquantaine d'années, vêtu avec une élégance qui détonnait assez dans ce lieu, il portait même des gants en cuir fin et un chapeau de feutre à larges bords, le tout gris souris, comme son manteau et son écharpe. « À Gaspard ! » clama-t-il en élevant son verre, et il le vida d'un trait. Ludvík ne comprit pas à la santé de quel Gaspard il lampait ainsi son eau-de-vie, il se contenta donc de répondre à cette incertaine libation par un bref hochement de tête. L'élégant fit claquer sa langue puis tinter son verre sur le comptoir, faisant signe au garçon de le servir de nouveau. Celui-ci, affublé de moustaches aussi tombantes que ses paupières et sa bedaine, poussa une chope dégoulinante de mousse vers Ludvík et reversa de la slivovice à l'homme gris souris. Celui-ci exécuta le même geste que précédemment, mais en lançant cette fois « À Melchior ! ». Et de nouveau il but cul sec, puis réclama à la muette un troisième remplissage. « Heureusement qu'il n'y a que trois Rois mages, pensa Ludvík qui comprenait enfin, à moins qu'il ne porte aussi des toasts à la santé des bergers. » Et l'autre continua son manège. « À Balthazar ! », et il siffla son dernier verre qu'il reposa à l'envers sur le zinc. Sa tournée royale était achevée. « Voilà ce qui s'appelle fêter l'Épiphanie ! » dit le serveur avec un sourire en coin qui brisa un instant la symétrie de sa moustache de morse, puis il replongea ses mains jusqu'aux avant-bras dans l'évier de rinçage et se désintéressa du roi buveur. Celui-ci s'approcha un peu de Ludvík et engagea la conversation. « J'ai toujours aimé la légende des Rois mages, mais longtemps quelque chose m'a troublé à leur sujet. Pourquoi, lorsqu'ils sont venus se prosterner devant le divin nouveau-né, n'ont-ils offert que de l'or, de l'encens et de la myrrhe ? — Ils ne connaissaient pas la slivovice, répondit Ludvík en sirotant sa bière. — Il ne s'agit pas de ça, et vous le savez bien. Réfléchissez, ils offrent l'or, lumière minérale, concrétion de larmes solaires, et des résines aromatiques qui ne répandent leur splendeur que sous la lente action du feu. Or il existe encore une autre substance liée au feu, et prodigue en saveur et vertus purificatrices. — Hum, fit Ludvík qui se sentit soudain sur la défensive, mais l'autre enchaîna : — Le sel ! Feu délivré des eaux, grain de pure lumière extrait des antres de la terre. Mais ce trésor-là, les Rois mages n'en

ont pas fait offrande. Pourquoi? Voilà ce qui longtemps m'a tracassé. Et pourtant, la réponse est si
simple! Pourquoi en effet auraient-ils fait don de sel à
un enfant qui, précisément, apportait au monde le
goût le plus vif du sel?» Le sentiment de malaise que
Ludvík avait senti poindre en lui un instant plus tôt
s'amplifia. Il n'était donc plus possible de mettre le
nez dehors ou dans un bistrot sans qu'un fâcheux
l'assaille en se lançant dans des péroraisons salines?
Il déposa sa chope encore à moitié pleine sur le comptoir et tourna les talons sans saluer l'homme en gris.
L'autre lança encore quelques mots dans son dos:
«Non, je ne tairai pas ce bruissement d'étoile au-dessus du désert, dans le silence des sables et de la nuit,
dans l'ombre de…» Mais sa voix se perdit dans le
brouhaha de la salle enfumée. Dehors pleuvotait un
peu de neige fondue.

Ludvík rentra chez lui; il n'avait aucune envie de se
remettre au travail, après avoir tourné en rond et gri-
gnoté quelques tranches de salami, la lubie le prit de se
prélasser dans un bain chaud. Tout en faisant gigoter
ses orteils dans la mousse qui exhalait une forte odeur
de pin, il repensa à ce trouble-fête de comptoir qui lui
avait gâché le plaisir de déguster sa bière. Du coup
il réfléchit aussi à la légende des Rois mages. De l'Épiphanie il n'avait gardé, comme de toutes les autres
fêtes liturgiques d'ailleurs, qu'un souvenir lointain,
réduit à quelques images désuètes. Les trois rois venus
d'Orient, portant coiffes exotiques, somptueux manteaux et pierreries, et chacun un coffret rutilant; une
triade de chameaux de profil pour agrémenter le cortège, sur fond de nuit puissamment étoilée, et un

Enfant Jésus trônant dans la paille en poupon rose et souverain. L'idée n'était jusqu'alors jamais venue à Ludvík de décaper ce cliché suranné, ni surtout de s'y intéresser. Et voilà que pour la première fois cette image s'imposait à lui sous un nouvel éclairage ; le cliché s'ébroua, tel un animal empaillé qui soudain reprendrait vie et rejetterait et la dorure et la poussière qui l'encrassaient, et les trois Mages se mirent en mouvement dans l'imagination de Ludvík. Un mouvement au ralenti ; Ludvík les vit marcher à pas lents, pieds nus et têtes nues. Vêtus de longues robes grises, ils allaient sans gloire et sans escorte, leurs mains maigres repliées autour de bols en terre. Mais Ludvík ignorait ce que contenaient ces bols, peut-être étaient-ils vides. Les trois silhouettes cheminèrent ainsi un moment à contre-nuit. Quant à l'Enfant, il ne vit pas, et ne devina pas s'il se situait en amont ou en aval de la route des Mages, ni même si ceux-ci s'en revenaient ou arrivaient.

Quand il sortit de son bain il faisait déjà presque nuit ; la soirée lui parut bien longue à l'avance. Il feuilleta son carnet d'adresses et appela une amie avec laquelle il entretenait une relation à éclipses. Une heure plus tard il se trouvait chez elle, et l'heure suivante dans son lit où ils passèrent la soirée. Mais sitôt le plaisir consommé, Ludvík ressentit un profond désarroi. Il se releva, sous prétexte d'aller boire un verre d'eau ; il s'attarda longuement à la cuisine où, par désœuvrement, il grilla une à une toutes les allumettes d'une grosse boîte, puis il pela en spirale une orange. Il revint à la chambre avec l'orange réhabillée de son écorce. Katia s'était endormie, couchée sur le ventre en travers du lit, les bras en arceaux autour de la tête. Il souleva la courtepointe et contempla un moment le corps nu de Katia. Il en connaissait le grain, l'odeur, les formes et la douceur, mais non point les paysages intérieurs et la sourde rumeur du sang, du souffle, des rêves, — et il ne désirait pas les connaître. Katia lui restait étrangère, bien que familière. Elle frissonna, il la recouvrit. Puis il extirpa l'orange de sa gangue, en détacha chaque quartier qu'il disposa en auréole autour de la chevelure en broussaille de la dormeuse et enfin enroula la volute d'écorce à son poignet gauche. Après quoi il partit sans faire de bruit.

La vision des Rois mages que Ludvík avait eue dans son bain lui revenait de temps à autre, et c'était toujours la même image en gris et noir, le même mouvement au ralenti. Les trois silhouettes se profilaient dans un lointain ombreux, glissant à pas minuscules, parfois trébuchants. Où s'en allaient-ils donc ainsi, se demandait Ludvík, que cherchaient-ils, qui cherchaient-ils ?

Et si c'était vers Brum que ces cendreux Rois mages cheminaient de la sorte, se dit un jour Ludvík. Il rappela Eva. De son habituel ton assez distant elle lui annonça que l'état de son oncle continuait à s'aggraver, que les escarres commençaient à ronger son corps depuis trop longtemps grabataire, et que l'étonnement des médecins croissait à mesure du délabrement physique de ce mourant qui ne lâchait cependant pas prise. Elle parla aussi de son regard, toujours plus transparent, et qui semblait poursuivre un point lointain, quelque part dans l'invisible. Et à nouveau elle joua à la sibylle, ce qui exaspéra Ludvík devenu allergique à toute personne tenant des propos abscons. «Quand il aura rejoint ce point, il déposera les armes.» Mais il ne se permit aucune réflexion, se sentant toujours tenu à la prudence à cause de la perte du carnet de Brum.

Un matin de grand gel, alors qu'il traversait la place de la Vieille Ville pour se rendre au Klementinum où il poursuivait ses recherches documentaires, Ludvík vit débouler un flic au petit trot ; il serrait dans sa pogne, avec autant de grâce que s'il avait brandi sa matraque, une rose rouge toute guindée dans son étui en cellophane à pois blancs. Il était aussi rouge que sa fleur et un petit nuage de buée flottait devant sa bouche. À quelle dulcinée s'empressait-il donc de porter sa fleur d'amoureux glacé ? Non, il donnait plutôt l'impression d'être en train de courir vers un commissariat de police pour y livrer la pièce à conviction d'un crime qu'il aurait à l'instant dénichée. Et si c'était, avec près de quatre siècles de retard, la fameuse fleur dont l'arôme tua le Haut Rabbi Loew, lui que la mort ne parvint à saisir que par ruse, en s'enfouissant dans le cœur d'une rose que lui offrit sa petite-fille en toute grâce et innocence ? Ludvík ne s'était pas plutôt formulé cette supposition que le flic dérapa et s'étala de tout son long au pied du bûcher de Jan Hus. Mais dans sa chute il eut un beau geste ; il garda levée sa main qui tenait la rose, laquelle se dressait pile sous la main du martyr, comme en attente de sa bénédiction. Enfin il se releva, jeta alentour des regards furibonds et repartit à pas plus précautionneux. Il claudiquait un peu, mais la fleur était intacte, comme se doit de l'être une pièce à conviction, qu'elle soit de crime ou bien d'amour.

Ludvík travailla jusqu'à une heure avancée à la bibliothèque ; à force de compulser archives et documents, il avait collecté tous les renseignements dont il avait besoin pour parfaire sa traduction. Son carnet grouillait de notes, de dates, de noms et de notions, de termes hébreux, grecs et latins, de citations ; la toile d'araignée avait proliféré, ses fils se ramifiaient, se nouaient, bifurquaient, émettaient des rhizomes. Ludvík avait en fait fouillé et relevé bien plus qu'il n'était nécessaire, mais il s'était laissé prendre au jeu, — un jeu de piste et d'enquête qui l'avait conduit dans les coulisses du XVIe siècle, dans les cabinets des merveilles de l'art et des curiosités de la nature dont raffolaient les princes et les rois de l'époque, dans les labyrinthes des tableaux d'anamorphoses, ces rébus visuels dévoilant l'envers du décor du monde et de l'histoire, et aussi dans les couloirs du château du Hradšin du temps de l'empereur Rodolphe II, ainsi que dans les venelles du ghetto tapi à l'ombre du palais, où le Haut Rabbi Loew avait œuvré et était mort au soir profond d'une vie vouée à la méditation pendant près d'un siècle.

Si Ludvík avait rechigné au début à traduire cet ouvrage dont une maison d'édition lui avait passé commande, et qu'il avait accepté faute d'autre travail, il commençait à présent à trouver de l'intérêt et même un certain plaisir à effectuer cette traduction qui l'amenait à explorer un siècle dans lequel il décelait bien des correspondances avec le sien. Les hommes de l'époque s'étaient heurtés à des doutes, des stupeurs et des effrois de pensée auxquels s'achoppaient, plus tragiquement encore, ses contemporains. Ceux-ci pouvaient en effet reprendre, amplifiée, la déploration du poète John Donne face à l'effondrement de l'ancien ordre cosmique, «Tout est en éclats, toute cohérence disparue. / Plus de rapports justes, rien ne s'accorde plus». Depuis longtemps déjà, le sens, éventuellement inscrit dans le monde, ne se laissait plus débusquer que par voies obliques, mise en suspens et même renversement de la pensée.

Mais il restait maintenant à Ludvík à trier et classer toutes ces notes grappillées à l'excès et jetées en fouillis dans son carnet. Il délaissa donc pour un temps la bibliothèque et poursuivit chez lui sa besogne. Il s'en voulut bientôt d'avoir accumulé autant d'éléments et surtout sans rigueur ni méthode; des dates se bousculaient sans ordre chronologique et de plus zigzaguaient entre deux calendriers, l'hébraïque et le chrétien; il avait parfois omis de consigner les références de citations qu'il avait relevées, ou bien avait recopié trop hâtivement certains fragments de textes et il ne parvenait pas toujours à se relire lui-même. S'il s'était amusé à musarder dans la mémoire d'un siècle plein de remous, de découvertes et d'inventions, il regrettait à présent ses négligences de mauvais scribe. Et puis ce déchiffrage de sa propre écriture alternant avec de longues heures passées devant l'écran de son ordinateur où il faisait redéfiler le texte de sa traduction afin de combler les trous qui l'émaillaient encore, lui fatiguait de plus en plus les yeux. Il pressait sans cesse ses doigts contre ses paupières sous lesquelles dansaient alors des ronds fébriles et lumineux, ou bien reportait par instants son regard vers la carte blême qui avait la vertu de l'apaiser. Il lui semblait parfois voir affleurer un vague motif dans cette image peinte ton sur ton, — des esquisses de silhouettes discrètement ivoirées se suivant à la queue leu leu dans une brume laiteuse. Cela faisait contrepoids à cette vision lancinante des Rois mages en gris et noir qui lui revenait plus ou moins régulièrement depuis un mois environ, et qui s'associait toujours dans son esprit à la lente, très lente agonie de Brum qui défiait toujours plus insolemment les pronostics des médecins. Des rois gris sur fond de nuit, des rois ivoire sur fond d'aube livide, tous cheminant à fleur d'invisible et d'immobilité, et tous ayant allure de rois mendiants. Une même image et son contretype, mais sans pouvoir déterminer laquelle avait priorité sur l'autre.

Ludvík évalua le travail qui lui restait à faire pour parachever sa traduction et estima plus prudent d'aller rendre visite à son éditeur pour le convaincre de lui octroyer un délai supplémentaire. L'éditeur se montra fort compréhensif, un peu trop même, car il accorda à son traducteur un délai presque illimité pour la désastreuse raison que sa maison était en train de faire faillite tant les frais de fabrication et de distribution étaient élevés, tandis que les ventes tendaient toujours à la baisse. Et, ajouta l'éditeur naufragé avec un mélange d'aigreur et de résignation et une troisième rasade de cognac géorgien, ce n'était certainement pas avec un ouvrage comme celui que traduisait Ludvík que les ventes allaient reprendre leur essor. Malgré tout il tenait beaucoup à ce livre et il encouragea Ludvík à parfaire sa traduction car, quitte à sombrer, dit-il, autant que ce soit en beauté, la tête haute et le cœur affermi. Ludvík lui demanda quel intérêt il portait à ce texte, l'autre lui répondit avec un geste évasif, « Rabbi Loew fait partie de ces gens qui ont le don de nous donner des nouvelles de nous-mêmes et du monde par-delà les siècles. Des nouvelles dont, plus que jamais, nous avons besoin. Encore faut-il que nous le ressentions, ce besoin. Sinon les nouvelles resteront lettre morte ».

Des nouvelles de lui-même et du monde, Ludvík en reçut le surlendemain, mais si défraîchies fussent-elles, elles n'en restaient pas moins actuelles. Ce ne fut pas le Haut Rabbi Loew qui les lui donna ; Ludvík avait décidé de faire une pause avec sa traduction puisque son éditeur se montrait aussi prodigue en temps que fauché côté finances. Le messager anachronique était un bien modeste personnage, — un vieux kiosquier transi dans sa guérite, vers le haut de la rue Korunní.

« Le journal du soir, s'il vous plaît, demanda Ludvík en fouillant dans sa poche pour en extirper de la monnaie. — Journal du soir ou du matin, de midi ou de minuit, d'hier ou de demain, qu'est-ce que ça change ? » marmonna le kiosquier dont seuls la tête et le haut du buste émergeaient derrière le guichet. Il était coiffé d'une casquette en velours côtelé gris sombre qui dissimulait en partie ses cheveux et son front ; des rides très profondes rayonnaient de ses yeux à ses tempes et sillonnaient ses joues creuses. Sa moustache grisonnante était roussie de tabac. « C'est comme les bulletins météo, répondit Ludvík, ça varie au gré des heures, autant se tenir au courant de la température ambiante et présente. — Ouais, fit l'autre sans bouger, un coup la pluie, puis une éclaircie, un coup le froid, puis un redoux, un coup la sécheresse, puis le gel ; le jeu de dés est limité, on retombe toujours sur les mêmes séries de chiffres. On les reprend et on rejoue, c'est comme avec les événements, un coup la guerre, un coup la paix. Mais le sale temps l'emporte de loin sur le beau temps, et les violents et les salauds sur la poignée des justes. — C'est sûr, admit Ludvík, mais il n'empêche, il vaut mieux malgré tout savoir à peu près ce qui se passe, parfois ça permet de limiter les dégâts. — Ah oui, vous croyez ça, vous ? Alors que plus on nous abreuve d'informations, souvent contradictoires et parfois carrément mensongères, et de surcroît assaisonnées d'images à la sauce piquante ou même truffées d'ingrédients frelatés, et moins on en sait. Car savoir, ce n'est pas ingurgiter des kilos d'images et de palabres ; nous sommes gavés, et nous souffrons d'indigestion, mais comme nous sommes intoxiqués nous en redemandons. Non, savoir, ce n'est pas tout voir et tout entendre en vrac, c'est apprendre au préalable à trier, à peser, à regarder et à écouter du fond du cœur et de la raison, et non pas à fleur de nerfs et d'émotion. » Tout en parlant il avait roulé deux cigarettes, il en offrit une à Ludvík ; des veines saillantes violaçaient ses mains et ses ongles étaient tachés d'albugo. Ludvík accepta la cigarette un peu à contrecœur, l'autre la lui alluma en lui tendant son briquet par l'ouverture du guichet, puis il reprit le cours de sa pensée. « Limiter les dégâts, disiez-vous ? Il fut un temps où on a pu le croire ; quand on a ouvert les portes des camps de concentration et qu'enfin on a vu toute l'horreur commise, les gens se sont dit que, s'ils avaient su à temps ce qui se passait, ils n'auraient pas permis que cela ait lieu et le monde s'est juré de ne jamais laisser la barbarie triompher à nouveau de la sorte. Or la barbarie se porte très bien, l'exemple a fait école et de nombreux adeptes, et les charniers prolifèrent à mesure sans que le reste du monde — dont nous, monsieur — tombe à genoux avec des larmes de sang, de honte et de douleur, ou bien prenne les armes contre les assassins. Vous le savez très bien, les cas sont multiples et sanglants à travers toute la planète ; vous lisez les journaux, vous êtes donc au courant. Alors, dites-moi comment vous limitez les dégâts ? » Ludvík pensa : « Je tire une dernière bouffée de cette foutue cigarette et je prends la poudre d'escampette. » Mais le kiosquier lui dit, comme s'il venait de lire dans ses pensées : « Ce n'est pas du bien bon tabac, j'en conviens, il est assez âcre, et mes propos ne valent pas mieux. Mais, malgré mon âge, je n'arrive toujours pas à m'habituer à l'intempérance de la folie humaine ; toute cette haine, cette fureur, embusquées dans le cœur de tant de gens, et sinon cette grande lâcheté qui se vautre dans le cœur de tant d'autres… mais tenez, prenez donc un peu de café, ça vous réchauffera. » Et il souleva une thermos qu'il gardait sous sa chaise, en dévissa le capuchon et versa du café dans deux gobelets en plastique. « Il est déjà sucré, dit-il, et relevé d'une goutte de rhum ; c'est qu'avec ce froid, il faut s'aider à tenir. » Et Ludvík se sentit obligé d'accepter, malgré son envie de partir. Le gobelet lui brûlait les doigts tandis que le froid lui ankylosait les pieds. Le kiosquier en profita bien sûr pour prolonger la conversation. « Il y a une quinzaine d'années, j'ai visité le camp d'Auschwitz-Birkenau ; je croyais déjà savoir, j'avais vu et lu beaucoup de choses à ce sujet. Mais quand je me suis trouvé physiquement sur les lieux déserts et silencieux, tout en moi s'est effondré, comme si une faux glissait au ras de ma raison, de ma mémoire, et y tranchait toutes les idées, réflexions et connaissances que j'avais pu accumuler. Un vide s'est ouvert en moi, j'étais la proie d'un désastre intérieur, d'un brutal accès d'idiotie, — quelque chose en moi refusait de comprendre, mon esprit ne pouvait contenir ni l'ampleur du mal perpétré, ni la démesure de la souffrance endurée en ce lieu. Ce lieu très nu, très muet, tendu à plat comme la paume d'un mort couché à même la terre, la face à contre-ciel. Contre un ciel encore plus nu, encore plus muet. Il y a des exilés qui, lorsque enfin ils rentrent dans leur pays, s'agenouillent pour embrasser le sol de leur patrie retrouvée. Là-bas je me suis senti, en un unique instant, irrémédiablement banni hors de la terre des hommes et de soudain retour dans cette même terre, et je serais bien tombé à genoux, mais non pour embrasser le sol, plutôt pour y cogner mon front et y frapper des poings. Et sol et ciel, c'était tout un, une pauvre peau de tambour dénuée de résonance. Il fut un temps où Dieu réclamait des comptes aux assassins et aux parjures. Mais là, il n'a rien dit. On a beaucoup glosé sur ce silence, sur le scandale de ce mutisme, et aussi sur celui des contemporains du massacre qui savaient mais qui n'ont eu ni le courage, ni l'intelligence, ni le cœur d'agir en conséquence. Il

nous est facile de condamner tous ces crimes ancien-
nement commis, de dénoncer le double silence, ver-
tical et horizontal, qui a laissé le champ libre aux
bourreaux et porté à l'extrême la souffrance des victimes abandonnées de toutes parts; il est beaucoup
plus délicat de nous contenter d'une impuissante
déploration face aux innombrables crimes en train
d'être commis. C'est pourtant bien cela que nous faisons, si grande et douloureuse que soit notre indigna-
tion. Moi, je ne sais que pousser un cri inversé à
l'intérieur, de moi-même à moi-même, dans un
lamentable déchirement de conscience. Quant à Dieu,
je ne peux que constater la froide ténacité de son
silence, mais j'ignore si, en deçà, il s'afflige et gémit au
secret de sa conscience.

« À Birkenau les bourreaux avaient planté des peupliers autour du camp, parce que ces arbres poussent
vite et haut, et forment écran contre les regards indis-
crets. Les peupliers sont toujours là-bas, très élancés
et frissonnants, seuls rescapés du grand massacre. Ils
se tiennent à la lisière de cet enfer fait de mains
d'hommes pour y supplicier d'autres hommes, comme
la nymphe Leuké métamorphosée en peuplier par le
dieu des morts et plantée par lui au seuil des Enfers.
Les peupliers de Birkenau dont les bourreaux voulaient
faire leurs acolytes n'ont jamais eu que faire, eux, de
cette abjecte complicité, et ils témoignent avec une
absolue pudeur en faveur des victimes dont il ne reste
rien, — rien qu'une souffrance à jamais sans conso-
lation. Ces arbres funéraires perpétuent le silence
qui emmura ce lieu, et ils dénoncent ce silence d'une
humanité en faillite d'âme, et tout autant d'un Dieu en

rupture de miséricorde. Et ils accordent la légende, qui fit d'eux des arbres liés à la douleur, à la mort et aux larmes, avec l'Histoire qui les dressa en marge d'une de ses pages les plus enténébrées.

« Reprendrez-vous un peu de café ? » Ludvík déposa son gobelet sur le bord du guichet ; il était transi de froid mais ne pensait plus à déguerpir, quelque chose à présent le retenait. Ce que venait de raconter cet homme correspondait tout à fait à ce qu'il avait ressenti lorsque lui-même, une quinzaine d'années plus tôt également, s'était rendu à Auschwitz-Birkenau. Les peupliers qui tremblaient dans le néant du lieu comme les Héliades inconsolables de la mort de leur frère Phaéton précipité du ciel, le corps en flammes. Le kiosquier lui reversa du café et continua son monologue. « Mais maintenant je dois vous avouer une chose ; quand je suis sorti de cette visite qui coupe en général, au moins pour la journée, l'appétit à quiconque a un peu de conscience et de sensibilité, eh bien moi j'ai éprouvé une faim terrible. Je suis revenu dans la ville d'Auschwitz, je suis entré dans un restaurant et j'ai commandé à manger. Je m'en souviens encore, du porc aux choux. Et puis un dessert. Et, sitôt hors du restaurant, j'en ai cherché un deuxième et j'ai recommandé à déjeuner. Encore du porc, et des patates, et encore un dessert. La faim criait toujours en moi, insatiable. J'ai foncé dans un troisième restaurant et de nouveau j'ai donné libre cours à ma faim compulsive ; du poisson cette fois. Il me fallait manger, mastiquer, avaler. Jusqu'à l'étouffement, la nausée. » Il s'interrompit pour rouler une cigarette. « Et après ? » demanda Ludvík qui savait avoir eu exactement la même réaction, dans les moindres détails, le jour de sa visite des deux camps. « Après ? Ben, j'ai été malade, bien sûr ! J'ai dû descendre précipitamment du bus qui me ramenait vers la gare tant j'avais envie de vomir. — Je voulais dire : après, dans les jours, les semaines qui ont suivi, rectifia Ludvík qui se souvenait de sa propre échappée hors du bus et de ses lamentables haut-le-cœur. — Oh, après…, rien de particulier ; un sentiment de malaise, un tourment de pensée, mais que le temps n'a pas tardé à mettre en sourdine. Le quotidien a repris ses droits, avec ses menus tracas, plaisirs et déplaisirs, tâches et obligations, et aussi avec les faux problèmes dont chacun de nous a l'art d'agrémenter sa banale petite vie. — Mais pourquoi me racontez-vous tout ça ? — Pourquoi ? fit le kiosquier en écartant les mains comme quelqu'un qui hasarde une réponse, peut-être bien pour tuer l'ennui. Il n'y a pas de pire mal que l'ennui qui, l'air de rien, en catimini, nous écœure et nous détache de tout, des autres, de nous-mêmes. C'est une rouille aussi sournoise que vorace qui peu à peu nous grignote l'intelligence et du cœur et de l'esprit, nous mine la mémoire où n'émergent à la fin que quelques îlots de souvenirs indurés ainsi que des tumeurs, des verrues, — ainsi les chagrins d'amour, par exemple. Et ça corrompt la vue ; on perd de vue l'essentiel, et ce qu'on continue à voir c'est alors bien souvent par le petit bout de la lorgnette, ou dans le flou, ou d'un seul œil. » Il broya son gobelet vide dans une main et le jeta par l'ouverture du guichet ; le déchet roula sur le trottoir. « Voilà, conclut-il d'un ton subitement tranchant, qu'il soit jeté dehors et foulé aux pieds par les gens comme le sel qui a perdu son goût!» Ludvík regarda le kiosquier avec une certaine stupeur, alors celui-ci, toujours en proie à son soudain courroux, s'exclama : «Oui, malheur à celui dont le cœur s'est englué d'ennui! Il est tel un chardon dans la steppe : il ne ressent rien quand arrive le bonheur, il se fixe aux lieux brûlés du désert, terre salée où nul n'habite. » Et, sur cette fougueuse citation de Jérémie, il abaissa d'un coup sec le volet en tôle ondulée de son guichet. Ludvík, aussi décontenancé qu'énervé par ce comportement, tambourina contre le volet en s'écriant : «Rouvrez! — Trop tard, c'est fermé! répondit le kiosquier d'une voix maussade. Allez donc acheter votre journal ailleurs. — Il ne s'agit pas du journal, j'ai des questions à vous poser. — Pff! Posez-les-vous tout seul. » Ludvík frappa de nouveau contre la tôle. «Je vous en prie, ouvrez!» Mais l'autre ne broncha pas, il n'y avait d'ailleurs pas le moindre bruit à l'intérieur de l'édicule. Ludvík insista encore un moment, mais rien n'y fit. Il finit par se lasser et s'éloigna en haussant les épaules. «Vieux toqué!» siffla-t-il entre ses dents.

Dès le lendemain pourtant Ludvík revint au kiosque. Les quelques incidents survenus au cours des derniers mois l'avaient, chacun à sa manière, plus ou moins étonné ou agacé, mais aucun ne l'avait autant intrigué que ce vendeur de journaux qui négligeait, et même refusait de vendre sa marchandise, préférant palabrer à profusion en offrant cigarettes et café pour mieux retenir le passant. Cette petite ruse était en soi plutôt anodine, — un vieil homme qui s'ennuie et se gèle dans sa guérite à attendre le chaland, et qui, lorsque enfin quelqu'un s'arrête pour lui acheter un journal, en profite pour harponner ce quidam et tromper un instant sa solitude. L'art de communiquer à la sauvette quand l'âge et la vie vous ont mis au rebut. Cela, Ludvík pouvait le comprendre, la ville pullulait de tels gens en manque de paroles ; c'était la teneur des propos de cet homme, et surtout leur caractère insidieux qui troublaient Ludvík, car il avait repensé à tout ce que celui-ci lui avait raconté et il restait déconcerté par certains points aigus de ressemblance entre les souvenirs évoqués par le kiosquier et les siens propres. Il aurait voulu le questionner plus en détail à ce sujet. Et puis il ne s'expliquait pas le brusque changement de comportement de cet homme qui, d'aimable, avait basculé dans l'odieux sans crier gare ni raison apparente, un peu comme le jeune niais à la rose de sel. Et du sel, le kiosquier en avait eu plein la bouche, comme tous ces autres cinglés dont il avait eu à subir les caprices d'humeur.

À cause de ce bonhomme encastré dans sa niche comme une statue en buste, Ludvík n'avait presque pas pu trouver le sommeil, et ce fut d'un pas de somnambule qu'il remonta la rue Korunní jusqu'au kiosque. Mais quand il parvint à la hauteur de celui-ci, il eut carrément l'impression de faire un mauvais rêve. Des mois se seraient-ils donc écoulés en l'espace d'une nuit ? L'édicule était dans un état de délabrement avancé ; couvert de fientes d'oiseaux prises dans le gel, placardé de vieilles affiches déchirées et d'annonces devenues illisibles, il se tenait tout de guingois sur le trottoir. Quelques mots étaient tracés à la craie sur le rideau du guichet à présent rongé de rouille et fort cabossé. Ludvík eut du mal à déchiffrer ces mots. « Or la femme de Lot regarda en arrière, et elle devint une colonne de sel. » Ludvík se sentit plutôt transformé en colonne de glace sous le coup de l'étonnement, puis de feu sous celui de l'exaspération qui s'empara de lui presque aussitôt. Il flanqua un violent coup de pied dans le kiosque et repartit en pestant. Dans sa colère il fulminait à tort et à travers, ne sachant même pas contre qui il en avait, — lui-même, le kiosquier, les autres timbrés, les citations bibliques, puis, par extension, il maugréa aussi contre Eva qui ne valait pas mieux avec ses minauderies de sphinx au téléphone, et contre son éditeur qui, à coup sûr, ne le paierait qu'à la saint-glinglin, et par raccroc contre l'auteur du livre qu'il avait tant peiné à traduire. Là, il fit une pause dans le crescendo de sa rogne ; il n'osa pas râler contre le Haut Rabbi Loew. Mais, comme il lui restait de la grogne en réserve, il chercha d'autres têtes de pipe à engueuler mentalement, et il dénicha dans un recoin de sa rancœur le malappris qui lui avait fauché son imperméable dans le train. Il fouilla encore parmi ses connaissances, mais ne trouva personne. La boule de neige de sa mauvaise humeur arriva ainsi à son terme et commença bientôt à s'effriter. Ne resta plus qu'un sentiment de désarroi et de fatigue. D'ailleurs il se sentait fiévreux ; rentré chez lui il se fit un grog, prit un bain chaud et se recoucha.

Il dormit tout l'après-midi, d'un sommeil lourd, visqueux, et quand il se réveilla, tard dans la soirée, il était trempé de sueur et grelottait. À défaut d'avoir retrouvé le kiosquier, il avait attrapé une bonne grippe. Il se releva et se rendit dans la cuisine se préparer un nouveau grog avec une dose de rhum nettement supérieure à celle d'eau sucrée qu'il y mêla ; il l'avala avec trois cachets d'aspirine. Puis il retourna au lit où il sombra dans un sommeil encore plus torpide. Au petit jour il commença à s'agiter, des rêves en éclats se bousculaient à toute vitesse dans sa tête. Ce fut l'un d'eux qui le réveilla en sursaut. Une grosse femme en fichu et jupe amidonnée, arrondie comme une ombrelle, patinait en zigzag à vive allure sur une rivière gelée ; en voulant faire une pirouette elle dérapa et, après avoir tournoyé en équilibre sur un seul pied comme une énorme toupie, elle s'écroula à grand bruit sur la glace qui se brisa, alors, tandis que la patineuse dodue coulait à pic, des banderoles multicolores s'envolèrent de ses jupons et ondoyèrent dans le ciel avec des claquements de fouets. Tout cela fit un **tel** fracas que Ludvík en tressauta dans son lit. Il secoua la tête, se frotta les yeux et retrouva peu à peu ses esprits, et soudain il éclata de rire. « La grosse Ludmilla ! » s'exclama-t-il ; et il se dit qu'il avait bien tort de se tourmenter à cause de prétendus mystères qui certainement relevaient d'une imposture aussi naïve et ridicule que celle des rubans funéraires qui ne disparaissaient que pour aller orner les cotillons d'une coquette aux goûts un peu macabres. « Ah, brave Ludmilla ! pensa Ludvík en se levant ; chaque fois que son histoire idiote me revient en mémoire tout se dédramatise autour de moi. La prochaine fois que j'aurai le malheur de rencontrer un hurluberlu dont le cerveau clapote dans la saumure, je l'appellerai à la rescousse, elle et ses jupons. » Et il se sentit déjà beaucoup mieux.

Dans la journée il prit une seconde excellente décision, — partir pour une semaine à la montagne, respirer un autre air et se changer les idées, après quoi il se remettrait au travail. Il se rendit dans une agence et réserva un billet de train pour le surlendemain ainsi qu'une chambre dans une auberge d'un village dans les Tatras.

La veille de son départ il téléphona à Eva pour prendre des nouvelles de Brum. Elle aussi avait dû prendre froid, sa voix était enrouée. Elle dit que l'agonie suivait son cours, que le corps décharné de son oncle s'escarrifiait de plus en plus, et que les médecins parlaient à présent du « cas Brum ». Elle laissa entendre à la fin de la conversation que cette épreuve n'allait cependant plus tarder à s'achever. Ludvík, se refusant à conforter Eva dans le rôle de pythonisse qu'elle s'obstinait à jouer, ne lui demanda donc aucune précision quant à la date probable de la mort de Brum, ce qui le chiffonna un peu malgré tout, maintenant qu'il allait s'absenter. Mais il se rassura en pensant qu'une semaine ce n'était pas bien long et qu'il pourrait toujours repasser un coup de fil pendant son séjour à la montagne. Il boucla sa valise dans laquelle il fourra quelques livres ainsi que son carnet de notes.

Le voyage dura toute une nuit, puis il lui fallut prendre un bus qui s'essoufflait dangereusement dans les côtes. Enfin il fut récompensé de son long et inconfortable périple en découvrant le village où il allait résider.

Un village très haut perché dans le silence, posé à même le bleu du ciel. Et tout le paysage alentour était mué par la neige en un désert étincelant, un territoire de songe et de patience. Le village et la terre taisaient leur histoire, ils se tenaient recueillis au profond d'une attente qui dépassait de loin celle de la saison prochaine, aussi inscrite en eux, bien sûr, mais sans hâte ni nostalgie. Il s'agissait d'une attente plus ample, tout à fait nue, sans objet ni élan ; une attente solitaire, pénétrée de lenteur, de douceur, de rigueur. Une attente où confluaient le bleu du ciel, le noir basalte des nuits, l'errance des nuages et de leurs ombres sur le sol, le tremblement des étoiles et de leurs reflets sur les eaux prises en glace, la mémoire des éléments sous la roche et l'écorce, le souffle chaud des bêtes, et le regard des hommes posé sur ce silence, et aussi le vol des oiseaux traversant tout cela.

Ce qui frappa Ludvík, ce fut l'odeur de la neige, car ici elle avait une odeur, et le froid une saveur. Son auberge était située un peu en surplomb du village et il lui fallut encore grimper un chemin bordé de congères teintées de rosâtre. La façade de l'auberge, tout en bois, était ronde et imitait un énorme tonneau ; une maison sortie tout droit d'un conte de fées ou de l'imagination d'un buveur passionné. Une jeune fille était en train d'essuyer des verres derrière le comptoir quand il entra dans la salle. Il se présenta et dit qu'il avait réservé une chambre. La fille le dévisagea d'un air effronté ; elle avait de grands yeux noirs et un grain de beauté à la naissance du cou. Elle reposa son verre et son chiffon et annonça qu'elle allait chercher la patronne. Elle n'était pas plutôt sortie que du fond de la salle où s'ouvrait une cage d'escalier retentit un cri perçant : « À l'abordage ! », et presque aussitôt un boulet se propulsa au bas des marches. Le boulet fit un lamentable patatras sur le parquet et éclata en sanglots. C'était un gamin de cinq ans environ; d'une main il tenait un sabre en plastique jaune, tout tordu, et de l'autre, resserrée en poing, il se frottait les yeux. Ludvík s'approcha de lui mais le gamin hurla de plus belle. La jeune fille revint en courant et s'accroupit près de l'enfant qu'elle souleva dans ses bras. «Voyons, lui dit-elle, je t'ai déjà répété cent fois de ne pas sauter comme ça du haut des marches… — C'est de sa faute! cria le morveux en pointant un doigt vengeur en direction de Ludvík. — Il ne pouvait pas savoir… — Si! Il avait qu'à me rattraper, na!» Enfin un troisième personnage entra en scène, la patronne. C'était une femme d'une soixantaine d'années, aux cheveux poivre et sel relevés en lourd chignon, et au corps en forme de poire. Elle portait une robe rouge brique et un grand châle à fleurs, et d'épais chaussons montants; elle tanguait comme une ourse en marchant. «Alors moussaillon, t'as raté ta manœuvre?»; elle avait une extraordinaire voix de basse. La jeune fille sortit avec le loupiot qui reniflait; il tira la langue à Ludvík par-dessus l'épaule de la fille. «Il a cru que c'était un habitué qui se trouvait dans la salle, expliqua la femme, les clients savent que lorsque le petit crie "à l'abordage" il s'élance du palier et s'attend à ce qu'on l'attrape au vol; ça l'amuse. Les clients aussi.» Puis elle lui fit visiter les lieux et le conduisit à sa chambre. Elle lui indiqua les horaires des repas et du petit déjeuner, mais lui dit qu'il pouvait aussi se faire servir dans sa chambre s'il le désirait.

Il partit se promener ; le soir il dîna dans la salle où il s'attarda après le départ des derniers clients. Il était en train de lire le journal quand il entendit chuchoter : « Hé, pst ! À l'abordage… », puis craquer les marches sous des pas de souris. Ludvík se précipita au bas de l'escalier et un instant après le gamin déboula dans ses bras. Ce coup-ci il fit un sourire radieux. Ludvík le déposa à terre, le petit remonta son pantalon de pyjama en se trémoussant. « Tu n'es pas encore au lit ? lui demanda Ludvík. — Si, mais chut ! », et il dressa son index contre sa bouche. Ludvík remarqua que son ongle était tout noir ; le gamin lui expliqua qu'il s'était blessé en donnant un coup de marteau de travers pendant qu'il construisait une maquette de bateau. Mais quand Ludvík eut le mauvais goût de lui demander si plus tard il voulait devenir marin, l'autre haussa les épaules avec mépris et répondit : « Ça va pas, non ? C'est flibustier que je veux être ! » Puis il ajouta avec fierté : « Et mon navire, il s'appellera Lubošek ! » S'étant ainsi présenté avec son prénom hissé en pavillon de navire corsaire, il remonta encore une fois son pantalon jusqu'au nombril et regrimpa les escaliers sur la pointe des pieds.

Ludvík monta bientôt à son tour ; il se coucha de bonne heure par rapport à ses horaires habituels. Après la mauvaise nuit de la veille passée dans le train puis la longue balade dans la neige qu'il avait faite l'après-midi, il ressentait une fatigue dont il avait perdu le goût ; une fatigue tout en douceur, pénétrante et apaisante, comme on en éprouve dans l'enfance après une journée de jeux au grand air, comme on en éprouve aussi après des heures d'étreintes et de jouissance dans l'accomplissement du désir quand ce désir s'enracine au profond d'un amour tout irrigué d'étonnement, de tendresse et de joie.

Il se réveilla en pleine nuit dans une chambre dont l'odeur, le silence, l'espace lui étaient inconnus, et avec une sensation physique, brutale, de solitude. Il resta quelques instants étendu dans son lit, les yeux grands ouverts dans le noir, puis l'ordre se refit dans ses pensées. Il se leva pour aller aux toilettes, renfila ses chaussettes, son pantalon et son pull et sortit dans le couloir, mais là il ne trouva pas le commutateur et se dirigea à tâtons ; il parcourut deux fois le couloir, incapable de trouver la bonne porte. En tâtonnant le long du mur sa main tapa dans le vide, il en conclut qu'il se trouvait sur le palier de l'escalier conduisant à la salle et il descendit les marches à pas prudents, en bas il saurait mieux s'orienter et savait où se trouvaient les toilettes du rez-de-chaussée. Mais soudain le mur fit un coude et Ludvík trébucha ; il rétablit son équilibre de justesse. Il comprit qu'il s'était engagé dans un autre escalier, il continua cependant à descendre car un halo de lumière se laissait enfin percevoir. Il déboucha dans une pièce faiblement éclairée au centre de laquelle trônait une poire monumentale. Une femme se tenait là, immobile, assise sur un tabouret de bois. Elle tournait le dos à Ludvík. Elle était vêtue d'une chemise de nuit en coton blanc que l'éclairage teintait de jaune léger ; une épaisse natte brune filetée de blanc serpentait jusqu'à ses reins, accusant le galbe d'une croupe volumineuse. « C'est toi, moussaillon ? » demanda la femme sans se retourner. Ludvík reconnut la patronne de l'auberge et il bredouilla des excuses. « Ah, c'est vous, dit-elle, je craignais que ce ne soit le petit, il fait parfois des mauvais rêves qui le réveillent; quant à la maison, c'est fatal qu'on s'y perde quand on ne la connaît pas. Une façade de tonneau mais à l'intérieur c'est tordu comme un alambic. Tenez, la porte basse sur la gauche, ce sont des cabinets. Faites attention, il y a deux marches. » Ludvík se glissa jusqu'aux toilettes. Quand il ressortit, la femme l'appela. « Vous faites de l'insomnie, vous aussi? Si vous avez envie de tuer le temps en attendant le retour du sommeil, vous pouvez me tenir compagnie un instant. Asseyez-vous là; il y a des cigarettes sur la table à côté. » Ludvík prit place sur un petit divan recouvert d'une peluche de laine d'un vert fané. Il faisait face à la femme, et il s'aperçut qu'elle prenait un bain de pieds. « Drôle de spectacle, hein? fit-elle en souriant; mais je souffre beaucoup des pieds, à cause de la circulation du sang qui se fait mal, et souvent ça me réveille la nuit, alors je fais trempette dans une bassine d'eau chaude. J'y ajoute un peu d'essence d'eucalyptus, j'aime cette odeur. Soyez gentil, allumez-moi une cigarette. » Elle fumait en rejetant la tête en arrière à chaque expiration. Ludvík lui posa quelques questions sur le village, et sur l'auberge. « Le village, il y a peu à raconter, ou peut-être beaucoup, c'est selon; il a ses sages et ses fous, ses bons et ses mauvais, son lot de riches heures et son lot de malheur, comme partout. Quant à ce tonneau d'auberge, c'était une idée de mon mari. Un tonneau! C'est bien à son image, — un foutu soif-fard! Il avait même demandé à être enterré avec une bouteille d'eau-de-vie dans son cercueil. C'est chose faite. — Il est mort il y a longtemps ? — Juste avant la naissance du petit ; ils n'auront pas eu le temps de faire connaissance. Mais vu qu'il se souciait comme d'une guigne des petits bâtards qu'il semait ici et là, ça ne change pas grand-chose. Sauf que ce dernier gamin qu'il aura engendré, la mère est venue me le coller un beau jour dans les bras alors qu'il avait sept mois, puis elle a pris la tangente et n'a plus jamais redonné signe de vie. Et c'est tant mieux. » Elle agita un peu ses orteils dans la bassine. « L'eau a refroidi, il faut que j'en reverse de la chaude. » Elle se leva pesamment de son siège et alla jusqu'à un réchaud où deux bouilloires étaient posées ; ses fesses houlaient sous la chemise. Elle tâta le couvercle d'une des deux bouilloires, estima que l'eau était encore bien tiède et revint la verser dans la cuvette. Ses pieds mouillés imprimaient des dessins éphémères sur le linoléum orangé. Elle déboucha un petit flacon de verre et l'inclina au-dessus de la cuvette ; trois ronds huileux se formèrent sur l'eau puis s'y diluèrent, répandant une forte odeur d'eucalyptus. Alors elle se rassit en soufflant et replongea ses pieds. « Ivo était un sacré ivrogne, reprit-elle, mais cela dit il ne m'a pas prise en traître. Le jour où il m'a fait sa déclaration d'amour, il était complètement ivre. Il est venu chez moi, m'a demandé de sortir avec lui dans la cour parce qu'il avait quelque chose d'important à me dire. Je l'ai suivi, il titubait. Dehors, c'était tout couvert de neige, comme en ce moment. Alors il s'est planté deux pas devant moi, en me tournant le dos, il a ouvert sa braguette et a pissé sur la neige. Mais il n'a pas pissé n'importe comment ; il a écrit mon nom sur la neige,

— Vladimíra, je t'aime. La neige était toute crevassée par les lettres qu'il venait de tracer à la volée, d'un jet, et elles s'ourlaient de buée. Ça ne manquait ni d'allure ni de vulgarité. Et il y avait même une faute d'orthographe. Ivo n'a jamais rien compris à l'orthographe. — Et après cette déclaration? — Il a refermé sa braguette, s'est retourné vers moi et m'a demandé en mariage. Je lui ai dit de revenir le lendemain matin; si la déclaration qu'il venait d'écrire tenait jusque-là, que le vent ne l'effaçait pas pendant la nuit ou que la neige ne ramollissait pas, alors ce serait oui. Le lendemain il est revenu, on est sortis dans la cour, la neige avait tenu bon, la phrase était parfaitement lisible. On s'est marié au printemps suivant. Le soir des noces, il était ivre mort, bien sûr, et il a été pris d'une drôle de lubie; il a ramassé les bouquets de fleurs et a décidé d'en faire une fricassée, alors il a arraché les corolles et les a jetées en vrac dans une grosse poêle qu'il a mise à cuire à grand feu. Cette toquade ne lui a jamais passé, chaque fois qu'il était fin saoul il courait chercher la poêle pour y frire ce qui lui tombait sous la main. Un jour comme ça il a fait griller ses pantoufles, une autre fois le réveil. C'est un miracle qu'il n'ait jamais foutu le feu à la maison, ce tonneau est tout en bois. Enfin, c'est quand même à cause de cette manie de tout jeter dans la poêle à frire qu'il est mort. — En faisant rissoler une bombe? — Pas du tout, il s'est noyé. C'était par une nuit d'automne, il faisait déjà bien froid. Il était en goguette avec deux compères aussi ivres que lui, en chemin ils sont passés près de l'étang, à la sortie du village, et il a aperçu un cygne qui glissait sur l'eau

Alors il a crié qu'il allait tordre le cou à ce beau connard emplumé pour le mettre à rôtir dans sa poêle, il a enlevé ses vêtements et a plongé en caleçons et chaussettes dans l'étang en beuglant. L'eau était glacée, Ivo n'a pas fait trois brasses, il a coulé tout d'une masse. On n'a repêché son corps que le lendemain matin. Le cygne paradait toujours sur l'étang, tout blanc, blanc comme l'oubli, l'indifférence. Moi aussi j'aurais bien voulu l'attraper, et lui tordre son long cou en crosse de saint Nicolas, et le plumer. Le plumer, plume à plume. Mais c'est l'inverse qui s'est passé, c'est lui qui m'a tordu la tête et m'a plumé le cœur. Ah, l'animal! — Comment ça? — Bah, c'est assez pour ce soir; il est déjà quatre heures passées, il serait bien d'aller dormir un peu, vous ne pensez pas?» Et Vladimíra retira ses pieds tout rougis de la cuvette, les essuya avec une serviette et enfila d'épaisses chaussettes de laine. Ludvík se leva, lui souhaita bonne nuit. «La nuit, pour ce qu'il en reste, soupira Vladimíra; dans moins de deux heures je dois être debout. Enfin; et puis, si jamais vous avez encore des insomnies les nuits prochaines, n'hésitez pas à descendre au fond de mon tonneau, maintenant vous connaissez le chemin.»

Le lendemain matin, le ciel était couvert. Ludvík demeura dans sa chambre, où il lut et feuilleta son carnet de notes. Dans celui-ci il remarqua qu'il avait relevé par deux fois un même événement, à plusieurs pages de distance, en le datant différemment. Sur l'une des pages il avait même transcrit un court extrait de l'ouvrage qui relatait cet événement; il s'agissait du

Zemah David de David Gans. Il relut ce passage. « Par un acte de grâce et de désir de vérité, notre Souverain l'empereur Rodolphe, Sire équitable, source de lumière éclatante et glorieuse, que Sa Majesté soit exaltée, a convoqué auprès de lui le Gaon, notre Maître Rabbi Loew ben Bezalel, et l'a reçu avec une bienveillance débordante, dialoguant avec lui de bouche à bouche, comme un homme parle à son égal. Quant à l'essence et à la portée du dialogue, elles constituent un mystère sur lequel les deux hommes ont mis le sceau du secret. L'événement s'est produit à Prague, le dimanche 3 Adar 5352. » À l'autre page, il avait à nouveau pris note de cette rencontre, mais en la datant du 10 Adar 5352, d'après un autre témoignage. Ce léger décalage au fond importait peu, ce qui gênait Ludvík était plutôt le fait qu'il ne savait plus trop resituer ces dates avec exactitude dans le calendrier chrétien ; il ne se souvenait d'ailleurs pas pourquoi il avait mentionné deux fois cet événement. À cause de l'importance que les chroniqueurs de l'époque lui avaient accordée, certainement, et du rôle éminent que le Maharal avait tenu dans cette entrevue nimbée de mystère et parée d'une dimension messianique, puisqu'elle était porteuse d'un immense espoir. Celui d'une réconciliation entre le monde chrétien et le peuple éclaté d'Israël, et l'annonce, donc, de la fin des tourments endurés par ce peuple. Mais le sceau du secret était resté posé sur la teneur de ce dialogue, et l'Histoire n'avait pas tardé à réduire en cendres et en larmes de sang le bel espoir un instant levé grâce à deux hommes osant se parler face à face, à cœur ouvert sur l'infini et la troublante rumeur du monde montée du fond des âges et sans cesse oscillant entre le chant, le cri et le silence.

En début d'après-midi le soleil perça la brume, Ludvík partit se promener. Et ce fut le même éblouissement de neige que lors de son arrivée. La terre, le ciel, l'eau et les arbres retenaient pareillement leur souffle, leurs voix. Ludvík repensa à Vladimíra assise, la nuit, au fond de son tonneau, et qui, elle, délivrait sa parole pour redonner un peu de sève à son passé, un peu de vie à son défunt mari. Le lac où celui-ci s'était noyé un soir d'automne s'étendait tout près de là, ses eaux gelées dessinant un large ovale bleuâtre comme une paupière close. Sous cette paupière de glace, nul souvenir, nul souci de celui qui avait là trouvé la mort. Remembrance et tourments n'incombaient qu'aux survivants qui, au fil du temps, transformaient leur mémoire en légendes.

Il repensa aussi au vieux kiosquier encagé dans sa guérite, enragé dans une mémoire bien plus vaste que lui, bien trop ample et cruelle pour lui ; il revit le kiosque délabré, tout souillé de neige sale, la neige citadine couleur de boue, de suie. Et soudain la vision des Rois mages lui revint à l'esprit ; les trois silhouettes en brun et gris marchant courbées à contre-vent dans un désert cendreux, chacun serrant un bol entre ses mains. Et aussitôt l'image se doubla de son négatif ; les trois silhouettes couleur ivoire pareillement voûtées et peinant à contre-courant d'un grand vent laiteux. Les deux visions s'enchaînaient mais ne se surimposaient pas, inversant non seulement leurs tons mais aussi le sens de leur marche. Et de nouveau cette image lente et lancinante, par un jeu d'association qu'il ne s'expliquait pas, lui évoqua Brum.

Brum, Ludvík n'avait jamais autant pensé à lui depuis la visite qu'il lui avait faite, comme si cette visite, après onze années d'absence et d'oubli relatif, avait porté à son terme le processus d'estompage du personnage du grand Brum pour laisser apparaître, dépouillée et pathétique, la personne du vieil homme en lutte muette avec la mort. Mais était-ce vraiment un acte de pensée que ces vagues rappels sans cesse réaffleurant à son esprit ? Il s'agissait plutôt d'une pensée passive, visitée de-ci de-là à l'improviste par un éclat de songe, un trouble ténu, une amorce d'étonnement, tout comme la vision résurgente des Rois mages. Peut-être bien que lorsqu'un être qui nous est, ou même nous fut, plus ou moins proche, entre en agonie, quelque chose alors irradie de lui vers son entourage, quelque chose d'indéfinissable, d'impalpable, — une obscure lueur, un silence tout froissé de chuchotis, une sensation de froid aigu et de douceur. Comme si les coups toujours plus sourds, toujours plus lents et douloureux d'un cœur en partance se répercutaient en secret jusque dans le cœur des autres alors mis en alarme.

Ludvík marchait le long de sentiers verglacés, et l'espace alentour déployait sa blancheur à perte de vue, le vent sifflait son froid à perte de souffle, l'esseulant encore plus dans ses pensées passives.

« Où en étions-nous restés ? » demanda Vladimíra qui avait revêtu un peignoir en coton à carreaux verts et noirs par-dessus sa chemise de nuit par souci de pudeur en prévision d'une nouvelle visite nocturne de son hôte. «Au cygne qui vous plumait le cœur, dit Ludvík réinstallé sur le divan. — Ah oui! ce foutu volatile… Pendant des jours, des semaines, je suis revenue au bord de l'étang, je me plantais à l'endroit d'où Ivo s'était élancé pour plonger droit dans la mort, et là je regardais le cygne glisser sur l'eau. Il me sillonnait la tête, me la truffait, — mais je pourrais aussi bien dire me la trouait, de questions. Car je me posais des questions comme jamais depuis ma naissance. Et pourquoi ci, et pourquoi ça, c'est quoi la vie, c'est quoi mourir, qu'est-ce qu'on fout là sur cette terre, y a-t-il un Dieu, n'y en a-t-il pas et patati et patata, enfin, toute la batterie de doutes que chacun traîne plus ou moins avec soi mais sur laquelle je n'avais jamais eu l'idée de me pencher. Et de réponses, je n'en trouvais pas, ou plutôt si, mais chaque réponse se présentait en double, flanquée de son contraire. Alors j'en revenais toujours à zéro. Et puis, il y avait une question toute bête, si bête, qui me lancinait plus que toute autre. Je me demandais si j'avais aimé Ivo, si même j'avais jamais aimé qui que ce soit. Et puis, qu'est-ce que ça voulait dire, aimer? Je me sentais le cœur si vide, si rêche. Je regardais les gens droit dans les yeux, comme si je voulais leur fouailler la chair jusqu'aux entrailles pour voir ce qu'ils avaient dedans, s'ils savaient, eux, ce que c'était l'amour. Résultat, les gens baissaient les yeux, ils détournaient la tête, ils disaient que j'avais le regard brutal. Je faisais fuir les clients, je leur gâchais le goût du boire et du manger. Mais moi, c'était bien pire, ça me gâchait le goût de vivre. J'en dormais plus; la nuit encore je revoyais le cygne avec son cou en point d'interrogation. — La réponse, vous l'avez trouvée finalement ? — Disons plutôt que c'est elle qui est venue à moi. Et c'était moins une réponse qu'une urgence à répétition, il m'a bien fallu faire comme si j'avais résolu le problème. C'est quand cette fille est venue me coller son bâtard dans les bras ; quelques kilos de chair, de nerfs, de sourires et de larmes. Le cygne avec sa tête à claques s'est envolé de mon esprit, le petit a pris sa place. Aimer, c'est peut-être tout simplement prendre les autres tels qu'ils nous viennent, et s'occuper d'eux tant qu'ils en ont besoin, sans rechigner à la tâche, sans rien attendre de précis en retour. Aimer, c'est pas des idées qu'on se fait, c'est des actions au jour le jour. J'avais tout faux dans les questions que je m'étais posées sur le bord du lac, surtout à propos d'Ivo, parce que les gens, c'est de leur vivant qu'il faut les aimer, pas après, quand tout est fini. Vous ne croyez pas ? »

Cette question lancée par Vladimíra au cours de leur conversation nocturne resta longtemps en suspens dans l'esprit de Ludvík. Avait-il aimé Esther ? Oui, passionnément. Mais une passion n'était-elle pas un fourvoiement de l'amour ? Si, en apparence, puisqu'on y attendait quelque chose en retour, — la possession totale et sans partage de l'autre. Il fallait creuser profond sous les excès, les leurres, les contradictions et les violences de la passion pour réussir à déceler un peu de véritable amour ; parfois, il n'y avait rien à en extraire. Ludvík fouilla, fouit, explora et scruta dans tous les recoins de sa mémoire, de son cœur, de sa conscience ; la jalousie, la colère, le dégoût, la rancœur jonchaient encore sa pensée d'Esther, il ne parvenait toujours pas à l'évoquer sans ressentir une émotion pénible, — un mélange de désarroi et de chagrin acide. Mais il tint bon, il creusa dessous tous ces débris, ces braises, ces scories, et soudain, dans ses mains nues il sentit qu'il tenait le visage d'Esther ; son visage, non plus seulement d'amante, mais de personne humaine unique parmi la multitude d'autres uniques. Son visage aussi nu, vulnérable, que l'étaient ses propres mains éprises seulement de tendresse, sans garde ni mesure. Son visage, comme une eau claire au creux des paumes, au milieu du désert. Et il sut qu'il l'avait aimée, aimée bien plus encore que de passion, bien davantage même qu'il ne l'avait soupçonné. Il comprit qu'il l'avait aimée jusqu'à un point de non-retour. Alors, pour la première fois, toute colère, toute rancœur tombèrent de lui, et la beauté, la gratitude d'avoir aimé se révélèrent telles qu'elles dépouillèrent son vieux chagrin de tout ressentiment. Son chagrin demeura, mais à la façon d'un animal blessé, éreinté de fatigue, qui se coucherait sur le seuil d'une merveille et y ferait patience, sans geindre ni gronder, sans rien attendre.

Le soir suivant il ne descendit pas dans l'anti-chambre au plafond bas, tout embaumée d'eucalyptus, où Vladimíra soulageait ses pieds endoloris dans l'eau lustrale d'une cuvette en faïence. Il resta dans sa chambre, allongé sur son lit, un livre entre les mains mais les yeux plus souvent levés vers le mur nu que posés sur les pages. Sa distraction se doublait d'une étrange attention ; il se sentait requis par un devoir de

veille mais sans pouvoir saisir l'objet de son attente. Il
s'endormit ainsi, tout habillé, le livre tombé sur ses
genoux, la lumière allumée. Il en fut de même le lendemain et le surlendemain. Tout le jour il arpentait les chemins blancs, sans but précis ; des chemins
de rien, de nulle part. Un labyrinthe à ciel ouvert,
vibrant de froid et de lumière, où par instants, sifflait
le vent, feulait le vent, craquait au loin une branche
ou le cri âpre d'un oiseau comme pour mieux rehaus-
ser le silence. Il frottait son regard à la neige, son ouïe
à l'aridité du silence, et ses pensées au vide. Parfois, le
temps d'un battement de cils, il entr'apercevait le cortège des Rois mages flotter à l'horizon, en un léger
éblouissement. Il rentrait à la tombée du jour, transi
de froid, de solitude, tout pénétré d'espace et de blancheur.

Il dînait tôt, faisait quelques parties de cartes avec
des clients de l'auberge. L'enfant courait entre les
tables, parfois il se glissait sous l'une d'elles et restait
là, accroupi sur le plancher, à écouter les palabres des
joueurs. La jeune serveuse, Pavlinka, le délogeait de
sa cachette comme on chasse un petit chat, alors le
gamin se sauvait en riant, se ruait dans les escaliers
d'où il s'élançait ensuite en poussant son cri rituel.
Un soir que Ludvík venait de l'attraper au vol, Lubošek lui dit, en le fixant droit dans les yeux, avec une
voix tout essoufflée par la course : «Pourquoi les
autres ils causent tous, tout le temps, et toi tu ne
racontes rien ? — Je préfère écouter, répondit Ludvík.
— Moi aussi, j'aime bien écouter. Tu ne connais
donc pas d'histoires ? — Si, et demain, si tu veux,
je t'en raconterai une, promit Ludvík en le reposant

sur le plancher. — Laquelle ? — Celle de Moby Dick.
— Qui c'est ? — Une baleine, immense et blanche
comme les montagnes d'ici. — Et qu'est-ce qu'elle
fait, la baleine ? — Elle vit dans l'océan, aussi grand
que le ciel d'ici. Et elle se bat. — Contre qui ? — Avec
le capitaine Achab. — Et lui, il est grand comment ?
— Comme peut l'être un homme en pleine mer, avec
un cœur aussi violent que les tempêtes, et une jambe
en os de baleine. » À ces mots l'enfant écarquilla les
yeux d'admiration, mais Vladimíra l'appela pour le
conduire au lit et il n'en sut pas davantage jusqu'au
lendemain matin.

Le dernier soir Ludvík descendit faire une visite
d'adieu à Vladimíra. Un châle à fleurs vives envelop-
pait ses épaules ; elle était assise non sur le tabouret
mais dans un fauteuil, et ne prenait pas de bain de
pieds. « Je vous attendais, dit-elle. Vous partez demain
de bonne heure, mais vous passerez bien un petit
moment avec moi ? » Ludvík resta un long moment en
sa compagnie à écouter sa belle voix basse ; elle parlait
juste, avec simplicité, d'un ton toujours égal. Elle ne
jugeait pas les gens, elle n'évaluait que le poids de leur
présence au monde et le degré de bonté contenu en
leur cœur ; discourir du bien et du mal n'était pas son
affaire. Ludvík remarqua aussi que pas une fois elle
n'émit une plainte, un regret.

Lorsqu'il remonta vers son étage il découvrit, pelo-
tonné sur une marche dans le tournant de l'escalier, le
petit garçon. Il dormait. Ludvík hésita à redescendre
prévenir Vladimíra, car elle venait de se retirer dans sa
chambre. Il prit l'enfant dans ses bras, sans le réveiller,
et le porta jusqu'au couloir. Mais il ignorait quelle

chambre était la sienne, aussi le coucha-t-il dans son propre lit, à ses côtés.

L'enfant respirait de façon très régulière, et profondément. Ludvík écoutait ce souffle avec la même attention nue que celle qu'il avait eue au cours de ses longues errances dans la neige ; il écoutait comme on le fait aux abords de la mer quand on perçoit le sourd murmure des eaux ressassant leurs fables sans commencement ni fin, comme on le fait en lisière de forêt quand court parmi les branches un ample bruissement. La voix du plus extrême dehors, et du plus intime dedans aussi bien. En contrepoint à la respiration de l'enfant le vent mugissait avec force, c'était une longue phrase musicale d'un total dépouillement, au thème hypnotique, d'une beauté austère. L'enfant, le vent, un même souffle sur deux tons, deux vitesses ; le fragile, le puissant, un unique mystère frayant sa voie sur la terre.

Au terme de ces quelques jours de calme Ludvík sentit soudain ressourdre en lui une confuse inquiétude, sans raison ni objet ; un sentiment d'angoisse et d'inconnu comme si, au lieu de reprendre bientôt le chemin de la gare pour rentrer chez lui, il allait se mettre en route seul, sans bagages ni carte ni boussole, pour franchir une frontière très incertaine en fraude. Il s'endormit cependant ; un sommeil de courte durée, traversé par le vent. Aucun rêve ne pouvait se former, aucune image se poser, le vent soufflait trop fort, en continu, dispersait tout, arasait tout ; il emporta même la vision des Rois mages. Trois pans de tissu blême roulant à vive allure à ras de terre, à fleur de ciel.

Lorsqu'il se leva l'enfant dormait toujours. Vladimíra se trouvait déjà dans la salle, ils burent un café. Il lui raconta comment il avait trouvé le petit sur les marches et qu'il l'avait couché dans son lit. « Son père avait inventé une maison en forme de tonneau, et lui il s'obstine à en faire un bateau voguant sur un océan imaginaire. La salle c'est le pont principal, l'étage le pont supérieur, ma chambre est une cale et le grenier une hune, les clients sont une horde de corsaires et Pavlinka est tantôt une mouette tantôt un dauphin. Quant à moi, il m'a fait la part belle, — figure de proue ! Les vagues n'ont qu'à bien se tenir ! Mais vous, je crois qu'il était prêt à vous nommer capitaine ; votre histoire de baleine l'a passionné. Vous allez lui manquer. Si vous l'avez trouvé dans les escaliers c'est sûrement parce qu'il vous cherchait. Il sera heureux de se réveiller dans la cabine du capitaine, mais triste que vous n'y soyez plus. »

Dehors le vent modulait toujours son sifflement aigu ; pour la dernière fois Ludvík descendit l'étroit chemin palissadé de neige durcie couleur de quartz rose et laiteux. La lumière rasait les monts et déjà refoulait la brume au fond des vallées. Il marchait en portant au paysage une attention encore plus vive que les jours précédents, il respirait l'espace, la peau très nue du froid. La neige exhalait tout à la fois son odeur, sa blancheur, son silence. Le temps était comme en suspens, — une intense mesure de vide, d'atemporalité, trouant le bruit de la durée, brisant son flux.

Au loin soudain il aperçut une petite silhouette couleur de prune, immobile sur le bord de la route. En s'approchant il vit qu'il s'agissait d'un enfant d'une huitaine d'années environ ; il portait un anorak violet et un bonnet de laine gris clair enfoncé jusqu'aux sourcils. Il se tenait légèrement penché en avant et tournait la tête à gauche et à droite avec lenteur comme s'il inspectait autour de lui. Son bonnet était affublé d'un long cordon de laine tressée dont l'extrémité s'ébouriffait en touffe ; quand il bougeait la tête le cordon jouait au balancier d'horloge. Ludvík ne savait trop si l'enfant était une fille ou un garçon, mais il pensa qu'il cherchait un objet auquel il tenait, tant il scrutait le sol avec application. « Tu as perdu quelque chose ? » lui demanda-t-il. L'enfant se redressa brusquement et lui jeta un regard sombre de dessous son bonnet, puis il lui lança en guise de réponse : « Et toi ? » C'était un petit garçon, aux yeux d'un bleu très foncé ; il avait un air si farouche, comme Lubošek le premier soir après sa lamentable chute au bas de l'escalier, que Ludvík éclata de rire. « Ne ris pas si fort, dit le gamin d'un ton sec, tu fais s'enfuir les ombres des oiseaux ! — Les ombres ? fit Ludvík étonné, et elles ont peur des rires ? — Elles n'ont peur de rien, de personne, mais elles n'aiment pas le bruit. » Il s'était déjà détourné et ne prêtait plus la moindre attention à Ludvík ; à nouveau il contemplait le sol. Il plongea une main dans sa poche et en extirpa une poignée de graines qu'il jeta sur la neige, en direction d'une ombre d'oiseau de passage. Et celle-ci s'immobilisa un instant. Ludvík leva la tête, il aperçut un freux se tenant en suspension dans l'air à l'aplomb de son reflet. Puis le garçon sema une nouvelle poignée de graines sur l'ombre d'un autre freux et le même curieux manège eut lieu. « Que fais-tu ? demanda

Ludvík. — Tu vois bien, je donne la becquée aux ombres des oiseaux. — En voilà une idée! Ce sont les oiseaux en chair et en plumes qui ont faim, pas leurs ombres. — Je sais», dit le gamin qui n'en continua pas moins à nourrir ses chimères d'oiseaux. Ludvík remarqua alors que les graines qu'il jetait ne se déposaient pas sur la neige mais y disparaissaient aussitôt, comme si elles fondaient à son contact, et des trous minuscules se creusaient là où elles étaient tombées. Les ombres des oiseaux étaient toutes grêlées, à croire qu'il les avait criblées de miettes de fer ou de grains ignés. «C'est quoi, au juste, la grenaille que tu leur lances? Elle paraît bien acide.» La réponse fusa, aussi acide que la grenaille. «C'est du sel.» À ce mot Ludvík sursauta, mais il se souvint de cette histoire que l'on raconte aux jeunes enfants, et selon laquelle on peut attraper les oiseaux en leur versant du sel sur la queue. Le garçon était encore en âge de croire à de tels contes, et, ainsi rassuré, Ludvík entra dans le jeu. «Du sel? Bonne idée. Et tu en as déjà capturé beaucoup des ombres d'oiseaux, avec ce système?» Le petit oiseleur ne daigna même pas répondre à cette question idiote, il se contenta de lancer un regard dur vers Ludvík puis, sa réserve de sel étant épuisée, il demeura immobile, bras ballants; ses lèvres et ses ongles étaient bleus de froid. Ludvík n'osait plus poser de questions, il se sentait un peu ridicule et de toute évidence ce gamin revêche préférait rester seul; il s'apprêtait donc à s'en aller quand l'enfant se mit à parler. «Capturer, quel vilain mot, si stupide! Tes paroles sont comme ton rire, — du bruit, rien que du bruit.» L'enfant avait prononcé ces paroles d'une voix assourdie, sans colère ni mépris, avec tristesse plutôt, et Ludvík fut troublé, atteint même, par cet accent de tristesse, aussi, loin de rabrouer le gamin insolent, il parla à son tour doucement. « Bon, je vais me taire, d'ailleurs je dois partir, mais avant j'aimerais bien que tu me dises à quoi tu penses quand tu jettes du sel sur les ombres des oiseaux. » L'enfant respira profondément puis, le regard toujours perdu dans l'immensité blanche, il répondit presque à mi-voix. « Ces ombres sont pareilles à l'éclat des étoiles dans la nuit, les reflets des nuages sur les champs, le sourire des gens qu'on aime, on ne peut pas les attraper mais on peut faire alliance avec eux, leur promettre, — se promettre à soi-même, de ne jamais les oublier. L'amitié, c'est pas seulement avec les gens qu'elle s'établit, c'est aussi avec les animaux, et avec les plantes, les arbres, la lumière, les pierres, le vent et tous les éléments, avec les choses, toutes les choses qui passent et qui sont belles, avec simplicité, avec bonté. Quand on déclare son amitié à quelqu'un, à quelque chose, on fait un pacte de fidélité, de franchise et de respect. Le sel, on l'offre en signe de bienvenue et d'hospitalité, eh bien, moi j'en sème sur tout ce que j'aime en signe d'accueil dans ma mémoire, d'invitation dans mon cœur. » Ludvík était si étonné par ces propos qu'il ne put s'empêcher d'exprimer sa surprise. « Mais qui es-tu ? Tu ne parles pas comme les garçons de ton âge… Comment t'appelles-tu ? » L'enfant se tourna brusquement vers lui et lui fit front avec un air de petite brute prête à en découdre, et il cria plus qu'il ne parla. « Que t'importe mon nom ? Qu'est-ce que ça peut bien te faire qui je suis et comment je m'appelle, hein ? Et qu'en sais-tu si je parle ou non comme les garçons de mon âge, dis ? Je parle comme tu te parlais quand tu avais mon âge, mais cela tu l'as oublié, tu as tout oublié, tu as laissé s'affadir le goût de toutes choses, jaunir le sel de ta mémoire et se corrompre celui de tes serments d'amitié avec le monde, avec les gens. Pff ! » Il secoua la tête, pinça ses lèvres mauves et se détourna ; il s'éloigna de quelques pas, se pencha près d'un buisson qui formait une coupole blanche sur le bord du talus et extirpa de dessous ses rameaux enneigés une petite luge en bois sur laquelle il sauta lestement. « Attends !... », dit Ludvík en amorçant un pas, un geste, mais sa gorge était soudain si serrée qu'il n'émit qu'un souffle rauque, et son corps si endolori de froid qu'il ne fit que vaciller sur place. Il se sentait le cœur aussi bleu que les ongles et les lèvres de l'enfant.

La luge glissa d'abord avec lenteur, puis elle prit de la vitesse et fila bientôt à vive allure le long de la pente. Le pompon du bonnet se balançait tel un pendule affolé derrière la tête du gamin, mais il ne tarda pas à se réduire à la taille d'un flocon et la silhouette prune diminuait de volume au même rythme. Ludvík suivit des yeux le garçon sur la luge, il regarda jusqu'à ne plus apercevoir qu'un point sombre tout au loin. Il avait l'impression que c'était sa propre enfance qui se sauvait ainsi, en toute hâte et en colère, après s'être dressée devant lui pour réclamer des comptes qu'il n'avait pas su rendre.

Il se remit enfin en marche et dut presser le pas car cette rencontre l'avait fâcheusement retardé. Elle l'avait surtout étrangement décalé dans le temps, il lui semblait aller en marge du présent, ou plutôt claudiquer entre deux durées de valeurs différentes, un peu comme lorsqu'on avance sur un tapis roulant le long duquel glisse une main courante avec plus de lenteur ; les pieds se font légers, véloces, tandis que la main posée sur la rampe poussive traîne avec mollesse, et le corps ressent alors une vague sensation de déséquilibre dans le rythme qui l'entoure, le porte et l'anime. Et cette impression perdura pendant tout le voyage au long cours qu'il fit en bus puis en train. Il lui avait donc suffi de croiser un gamin farouche planté sur le bord de la route comme un oiseau de mauvais augure pour que tout le repos qu'il avait trouvé dans le tonneau de Vladimíra, la douceur éprouvée auprès du petit moussaillon, le silence profond dispensé par la neige lui soient soudain retirés, volés. Quant à l'histoire de la grosse Ludmilla qui lui revint deux ou trois fois à l'esprit au cours de son voyage, elle ne le fit plus rire du tout, ne le soulagea pas de son angoisse ; cette histoire avait fini par perdre tout son piquant et sa drôlerie, elle ne faisait vraiment plus le poids face au malaise provoqué par ces rencontres importunes d'individus qui paraissaient chaque fois surgir de nulle part pour lui lancer des reproches, des moqueries ou de confus et pénibles sous-entendus. Mais au nom de quoi, de qui, parlaient donc tous ces semeurs de trouble ? Certains semblaient avoir donné voix, comme ça, l'air de rien, à quelque idée, doute ou songerie qui lui passaient au même instant par la tête, d'autres s'être faits les porte-parole intempestifs tantôt de son inconscient, tantôt de sa conscience, — et à présent de son enfance. Et pourtant ils ne racontaient rien de précis, ni surtout de très cohérent ; ils en disaient tout à la fois beaucoup trop et bien trop peu, et c'était cela qui agaçait le plus Ludvík. Et puis il s'en voulait de se laisser chaque fois surprendre et décontenancer, de manquer d'esprit de repartie, d'élan de réaction. Il ne savait que subir ces assauts et sombrer ensuite dans les tourments d'un doute indéfini. Et à mesure il sentait s'effriter la chape d'ennui qui depuis si longtemps s'était sédimentée en lui, se dissoudre le nœud de dégoût, de lassitude, qui enserrait son cœur, — mais sans pour autant retrouver de l'entrain, de l'appétence, de l'engouement. Il était simplement, sournoisement, peu à peu mis à nu ; sa carapace se démantelait, son indifférence se fissurait, ses dernières certitudes se craquelaient, et le vide s'ouvrait toujours plus. Un désert de neige, de poussière, s'étendait en lui, encerclait sa raison qui entrait lentement en dérive dans une incertitude croissante. La réalité se dédoublait, se creusait, et frontières et repères s'effaçaient ; il avait l'impression d'être en proie à une étrange mue intérieure, à un dérèglement progressif de son pouvoir de perception. Mais une crainte sourde le retenait d'enquêter plus avant sur les causes et la nature de ce dérèglement. Pour s'être aventuré une fois un peu trop loin dans les méandres de l'amour fou et en avoir connu les remous et turbulences, de l'éblouissement au désastre, il se méfiait dorénavant de toute zone d'excès et de désordre. Ce qu'il était en train d'éprouver n'avait certes rien à voir avec la passion amoureuse, mais la mue qui commençait à s'opérer en lui n'en avait pas moins d'inquiétantes ressemblances avec ce chaos d'émotions,

— cette ardeur naufrageuse, cette jubilante alarme. Il ne voulait pas davantage repartir vers le grand large de l'extrême amour que descendre trop profond en lui-même ; il se tenait tout autant à l'écart de lui-même que des autres.

Ce ne fut qu'une fois rentré chez lui, réinstallé dans son espace familier, que Ludvík prit conscience de sa négligence à l'égard de Brum et d'Eva. Il avait bien eu quelques pensées pour Brum les premiers jours de son séjour à la montagne, mais elles s'étaient chaque fois mêlées, puis diluées, par un lent fondu enchaîné, dans sa vision mi-grise mi-blême des Rois mages, laquelle à son tour s'était dissoute dans la neige. Mais il n'avait ni téléphoné ni écrit. Comme il était très tard, il reporta au lendemain sa décision de téléphoner à Eva.

Le lendemain matin il descendit faire quelques courses. En revenant chez lui il ouvrit sa boîte aux lettres ; il n'y trouva qu'une enveloppe et trois prospectus publicitaires. La veille au soir à son retour il avait retiré une bonne douzaine de lettres et tout un fatras de prospectus. Il allait glisser cette nouvelle lettre dans sa poche pour la joindre à la pile de courrier qu'il n'avait pas encore eu le temps de dépouiller entièrement quand il remarqua le cachet de la poste imprimé sur cette enveloppe. C'était celui de la poste de T. Alors il n'attendit pas d'être rentré dans son appartement pour l'ouvrir, il coinça sous son bras la bouteille de lait et le sachet empli de petits pains qu'il venait d'acheter et déchira l'enveloppe tout en gravissant les escaliers. Elle contenait une simple carte sur laquelle Eva avait tracé quelques lignes de son écriture fine et très droite. « Joachym est mort ce dimanche 23 février en début de soirée. Selon son souhait il sera incinéré. La date de la cérémonie n'est pas encore fixée. » La vue de Ludvík se brouilla et il ne lut pas les deux lignes suivantes. Ainsi Brum était mort l'avant-veille, tandis que Ludvík conversait avec Vladimíra. Et soudain une brève lumière se fit dans son esprit, — ce fameux dimanche 10 Adar 5352 au cours duquel avait eu lieu l'entrevue entre l'empereur Rodolphe et le Maharal de Prague, selon l'un des chroniqueurs de l'époque, correspondait dans le calendrier chrétien au dimanche 23 février 1592, soit quatre siècles exactement avant ce récent dimanche 23 février 1992. Il avait fallu le choc de l'annonce du décès de Brum pour que Ludvík établisse enfin l'équivalence. Cette coïncidence, qui d'ailleurs était peut-être tout à fait fortuite et insignifiante, troubla sur le coup suffisamment Ludvík pour le saisir d'un léger sursaut de surprise. La bouteille de lait glissa et se brisa sur les marches. Ludvík se hâta d'aller chercher une balayette et une serpillière. Tandis qu'il ramassait les bris de verre et épongeait la flaque de lait il repensa à ce jeu de miroir temporel qui lui parut bientôt dénué de sens. En effet, en quoi cet événement pouvait-il préoccuper Brum, pourquoi aurait-il élu cette date, qui plus est incertaine puisqu'un autre chroniqueur la fixait une semaine auparavant, pour mourir ? Et quand bien même il en aurait été ainsi, suffisait-il de rendre son dernier soupir à une date anniversaire d'importance pour obtenir droit de visite dans ce passé précisément ciblé, et révélation à rebours d'un secret demeuré scellé depuis des siècles ? Ludvík jugea cette hypothèse absurde, il n'y aurait en fait jamais songé si Eva n'avait pas distillé autant d'obscures insinuations au cours des derniers mois.

Il téléphona aussitôt à Eva, mais celle-ci n'était pas chez elle, la sonnerie égrenait ses petites notes lancinantes dans le vide. Il s'installa alors à son bureau, tria son courrier, répondit à quelques lettres, puis corrigea les épreuves de deux articles qu'il avait récemment écrits et enfin se replongea dans sa traduction. À présent il voulait en finir au plus vite avec ce travail qui semblait toujours sur le point d'être achevé et dans le même temps ne cessait de s'effranger comme un ourlet mal fait. Il estimait qu'il avait consacré bien assez de temps à ce texte difficile pour lequel il ne serait même pas payé et que nul ne lirait, à part son éditeur fauché.

Assis devant son ordinateur Ludvík éprouvait de plus en plus de mal à se concentrer ; il clignait des yeux, se frottait les paupières. Il avait bien remarqué que depuis quelque temps sa vue baissait, mais ce déclin prenait soudain des allures de chute libre. Il téléphona à différents services d'ophtalmologie et réussit à obtenir un rendez-vous dans l'un d'eux pour le lendemain matin. De se découvrir affaibli, atteint dans sa capacité de voir, de lire, Ludvík ressentit une angoisse qui refoula dans l'ombre tous ses autres tourments ; d'ailleurs ceux-ci étaient indéfinis, ils résultaient d'une conjonction de menus incidents, de rencontres troublantes, de doutes et d'insatisfaction, d'un sentiment d'enlisement de sa vie devenue trop solitaire. Or, là, il s'agissait d'un problème concret, d'une défaillance physique et non pas d'un ébranlement de ses pensées. En fait Ludvík était bien plus affecté qu'il ne voulait le reconnaître par tous ces événements et la déficience de sa vue offrait un dérivatif à son inquiétude.

Il ne parvint à joindre Eva qu'en fin d'après-midi. Sa voix au téléphone parut à Ludvík plus sonore que de coutume, comme si elle martelait ses mots dans un espace vide. Il n'osa pas l'interroger sur le sens qu'elle donnait au jour « choisi » par son oncle pour mourir, il se contenta de s'informer de détails d'un ordre plus pratique. Elle lui apprit que la date de l'incinération venait d'être fixée ; la cérémonie devait avoir lieu la semaine suivante. Ludvík dit qu'il désirait se rendre à T. à cette occasion. « Très bien », répondit Eva d'un ton si détaché que Ludvík se sentit un peu froissé, voire agacé. Il était pourtant habitué à la froideur d'Eva.

Le lendemain il alla à sa consultation. Les lettres tremblotaient au bout de la baguette que l'oculiste promenait sur le tableau. Ludvík se dit, tout en plissant les yeux et en tendant le cou, « ma vue s'effeuille, comme les roses séchées des bouquets d'Esther ». Puis, tandis que le médecin le soumettait à de pénibles exercices oculaires, une question panique lui glaça le cœur : reconnaîtrait-il encore Esther s'il la croisait dans la rue ? Et dans le même instant le visage d'Esther s'imposa à lui en une vision d'une douloureuse netteté.

Le médecin le rassura sur l'état de sa vue, il lui fit un bref exposé sur l'amoindrissement de l'élasticité du cristallin et la diminution de son pouvoir d'accommodation, puis il glosa un peu sur les méfaits de l'âge et enfin lui remit une ordonnance pour une paire de lunettes.

Sitôt sorti de l'hôpital Ludvík se rendit chez un opticien ; celui-ci lui promit que les lunettes seraient prêtes en début de semaine. Soulagé d'avoir pu régler rapidement ce problème, Ludvík eut envie de flâner dans la ville. Il faisait un froid sec, la lumière était franche, et le temps s'était réunifié, — Ludvík avait enfin à nouveau l'impression de marcher dans le droit fil du présent et non plus de boitiller dans sa marge. Mais cet apaisement fut de courte durée, il se trouva d'un coup brisé au détour d'une rue. Celle-ci était déserte, et tout à fait ordinaire, mais quelqu'un, quelque part, y jouait du clavecin, et il suffit à Ludvík d'entendre quatre ou cinq notes pour perdre instantanément sa placide assurance.

Cet air lui était connu, — très étrangement connu ; il ne savait pourtant ni où ni quand il l'avait déjà entendu. Et l'air reprit, une fois, deux fois, trois fois... C'était un morceau très bref, plein de vivacité, et têtu autant qu'entêtant. Ludvík s'arrêta et revint un peu sur ses pas jusqu'à ce qu'il trouve d'où provenait cette mélodie. Un apprenti claveciniste répétait dans une salle d'une école de musique ce morceau aux notes heurtées, s'appliquant à en maîtriser le rythme. Ludvík se planta sur le trottoir et écouta. L'élève interrompait parfois son jeu après quelques mesures et reprenait de zéro, se concentrant sur une seule phrase sous les conseils d'une professeur dont Ludvík percevait vaguement la voix quand elle haussait le ton.

L'air sautillait, vif et dru comme une giboulée de grêle, se taisait un instant pour mieux éclater à nouveau ; les notes frappaient aux carreaux de la fenêtre de la classe et leur écho bondissait dans la rue, martelait les tempes de Ludvík. Et lui cherchait toujours où et quand il avait entendu cet air, et surtout pourquoi il l'intriguait à ce point, le jetant dans un état de tension croissante comme si l'élève, en frappant sur les touches du clavier, pinçait, non plus les cordes, mais ses nerfs. Il se trouvait la proie d'une crise de paramnésie, phénomène auquel il n'avait pourtant jamais été sujet ; sa mémoire était mise en alarme, ses sens tout chamboulés, sa curiosité sur le gril et tout en lui trépidait de vaine surexcitation. La sensation de déjà entendu se faisait si intense qu'elle en devenait presque douloureuse.

Enfin la leçon s'acheva et la musique cessa. Mais l'air continua d'innerver le corps de Ludvík de tout un réseau de fibres acidulées qui vibraient et tintaient. Il demeurait cloué sur place, s'efforçant de contenir et d'atténuer le violent chambardement de son esprit. Une fillette d'une douzaine d'années arriva en courant et s'engouffra dans le hall de l'école. Il eut juste le temps d'apercevoir l'éclair blond-roux de ses cheveux tressés. Quelques secondes plus tard elle ressortit, mais dédoublée. Elle était flanquée d'une fillette en tout point semblable, vêtue du même manteau couleur d'épinards et pareillement coiffée. Un détail cependant les distinguait, le sosie portait un cartable à la main droite. Peut-être était-ce l'élève qui venait de ressasser ce morceau au clavecin ; Ludvík s'approcha des jumelles et leur posa la question. Elles s'immobilisèrent devant lui, se tenant par la main, et posèrent sur lui un regard plein de méfiance. Leurs tempes et leurs fronts étaient lisérés de frisettes orangées, aussi fines que des copeaux de cuivre. Comme elles restaient sur leurs gardes Ludvík répéta sa question au sujet de cet air de clavecin qu'il avait écouté en passant, et il précisa qu'il l'avait trouvé très beau et qu'il désirait en connaître l'auteur et le titre. Ces précisions parurent rassurer les fillettes et celle au cartable dit quelques mots que Ludvík ne comprit pas, alors elle recommença en s'appliquant à articuler distinctement chaque syllabe, comme tout à l'heure il lui avait fallu bien détacher ses doigts pour attaquer chaque corde de l'instrument avec justesse afin de donner au son toute sa clarté. Mais, pas plus que son jeu n'avait vraiment satisfait son professeur, sa prononciation ne permit pas à Ludvík de s'informer. La petite manifesta un certain agacement et, avec un mouvement d'humeur, l'air de signifier « ces adultes, quels emplâtres ! ils ne sont jamais contents et en plus ils ne pigent jamais rien », elle ouvrit son cartable, en sortit une partition qu'elle brandit sous le nez de Ludvík. Il lut : « *My Lady Carey's Dompe*, — anonyme.» La jolie rouquine pépia : « Voilà, c'est ça, et c'est rudement difficile, hou la la !», puis elle réenfouit sa partition dans sa sacoche, donna un léger coup de poing sur le fermoir récalcitrant, reprit la main de sa sœur et toutes deux s'en allèrent en balançant leurs nattes.

My Lady Carey's Dompe, ce titre n'éclaira nullement Ludvík et l'anonymat du compositeur aggrava celui de ce curieux souvenir, ou plutôt de l'impression de souvenir que la musique avait fait se lever en lui. Il s'éloigna à son tour tout en réfléchissant ; jusqu'au soir il fouilla dans sa mémoire pour débusquer le lieu, le jour où il avait dû entendre cet air, mais il ne trouva pas. Une image cependant se profila furtivement dans son esprit deux ou trois fois au cours de son enquête intérieure, celle des statues à têtes de grenouilles du bassin de Latone. Mais il fut incapable d'établir un lien entre le parc de Versailles et *My Lady Carey's Dompe*. Alors, une fois de plus, il déclara forfait, il abandonna ses investigations tout comme il avait renoncé à éclaircir les zones d'ambre semées par les divers toqués dont il avait malencontreusement croisé le chemin au cours des derniers mois.

Vers la fin de la semaine il se rendit à la rédaction de la revue à laquelle il collaborait ainsi qu'à celle de deux journaux pour lesquels il écrivait des articles, à l'occasion. Il éprouvait le besoin de reprendre contact avec les gens, de discuter avec eux autrement que par téléphone ou courrier ; il lui fallait reprendre plus pleinement pied dans la réalité. Il avait beau minimiser, et même s'ingénier à négliger les incidents survenus au fil des mois passés, il ne pouvait se défaire d'un certain malaise. Une fêlure s'était ouverte en lui, il n'était plus vraiment sûr de rien, il en venait même parfois à douter de sa propre présence dans l'épaisseur et la rugosité du monde dont il avait par moments une perception si fantasque, comme déformée, ou décalée. Soumettre sa parole en direct à l'écoute des autres l'inquiétait et le rassurait à la fois ; tout en s'exprimant il épiait le regard et les réactions de ses interlocuteurs pour tenter de deviner si ceux-ci le soupçonnaient de folie, ou du moins décelaient en lui quelque bizarrerie. Mais chacun était bien trop préoccupé par ses propres affaires pour se soucier de lui à ce point.

Il passa également au bureau de son éditeur en faillite, Adam. Il le trouva plus désabusé que jamais, mais serein et solide sur le radeau de son désenchantement. Ludvík mentionna la nouvelle de la mort de Brum. «Je ne l'ai jamais rencontré, dit Adam, mais j'ai souvent entendu parler de lui, toujours en bien. J'ai lu certaines des traductions qu'il avait faites, des poèmes de Heine, de Hofmannsthal, de Mörike, de Trakl…, il était un remarquable traducteur. On m'a dit qu'il vivait très retiré, un peu sauvage même, quelque part en province. — À T., précisa Ludvík; après sa mise à l'écart de l'université il était parti s'installer là-bas avec sa nièce, devenue plutôt sa fille adoptive. Ils ont vécu en solitaires, entourés de livres et de silence. — On ne peut souhaiter meilleure compagnie, commenta Adam. Vous le connaissiez bien? — Autrefois oui; j'ai été son étudiant. Ses cours étaient magnifiques, il semblait toujours improviser, se laisser emporter par le souffle des mots, il puisait sans fin dans la rumeur des innombrables poèmes qu'il connaissait par cœur; tout son être bruissait de cette fine rumeur. Pendant des années je suis resté très proche de lui. Puis les liens se sont distendus, et ensuite j'ai quitté le pays. — Quel homme était-il? — Je vous l'ai dit, un rêveur de mots, une anthologie vocale. Mais hors des cours il parlait peu, il était très réservé. Un solitaire plein de courtoise mélancolie. Mais quand je l'ai revu en octobre dernier, il n'était déjà plus que l'ombre de lui-même, un vieillard exténué qui hoquetait des borborygmes. — Oh, la mort s'encombre rarement de délicatesse, fût-ce avec les gens les plus délicieusement courtois. Elle arrive impromptu, vous coupant la parole sans souci ni du lieu ni de l'heure et encore moins des bienséances. — Il est vrai que la fin de Brum fut particulièrement pénible et outrageante, mais son agonie n'a peut-être tant duré que parce que lui, Brum, retardait farouchement l'échéance... — Il ne suffit pas d'avoir consacré toute sa vie à méditer, à rêver les mots des poètes, pour être dispensé de l'angoisse de mourir. La mort est peut-être un mot autour duquel on peut gloser et même poétiser sans fin tout au long de sa vie, mais elle n'est certes plus un beau sujet de rêverie à l'heure du passage, quand elle s'impose crûment réalité néante. Il y a de grands saints qui ont crié de terreur au moment du trépas, alors, pourquoi pas votre Brum... — Non, rectifia Ludvík qui soudain se laissait emporter dans des considérations qu'il avait pourtant pris soin d'éviter jusque-là, dans le cas de Brum il s'agit d'autre chose... ce n'est pas la peur qui le retenait, au contraire..., une étrange curiosité le tenaillait. — Que voulez-vous dire ? — Il semblerait qu'il ait choisi la date de sa mort, et qu'il n'ait autant lutté que pour parvenir à ce jour qu'il s'était fixé. — Un délai obtenu à l'arraché comme un traducteur qui n'a pas fini sa copie à temps ? ironisa Adam ; et il a eu gain de cause ? — Ouais, fit Ludvík avec un sourire en coin, sauf que la mort, elle, ne fait jamais faillite. — Ne le prenez pas mal, dit Adam en se levant pour aller chercher une bouteille et deux verres qu'il posa sur son bureau ; tenez, buvons à notre santé de vivants en banqueroute. » Ludvík vida son verre cul sec puis le tendit à nouveau en annonçant : « Et maintenant, à la mémoire de Brum ! — À Brum, acquiesça Adam en versant une seconde rasade de brandy frelaté ; au fait, reprenons le fil de votre histoire entortillée au sujet de la date de sa mort... » Mais Ludvík se ressaisit, il ne désirait pas soulever ce problème ; il restait certes intrigué par le prétendu mystère de la mort de Brum mais il lui répugnait de faire étalage de ses doutes à ce propos ; il éluda. « Oh, rien de sérieux ! en fait, juste des élucubrations de sa nièce. Les deuils incitent parfois les gens à échafauder de drôles de pensées, des loufoqueries, dans le désarroi... Laissons donc à présent ce vieux Brum en paix, et parlons d'autre chose. » Adam lui jeta malgré tout un regard scrutateur, mi-ironique mi-soupçonneux, puis déclara : « Très bien, laissons cela. Parlez-moi alors du texte pour lequel je vous ai octroyé un délai "si généreux"... La traduction est-elle en voie d'achèvement, ou avez-vous renoncé ? — Je n'ai pas renoncé, j'ai presque terminé ; il ne me reste plus que quelques points de détail à régler. Le travail de finition. — Je suis impatient de lire cet ouvrage, et j'espère qu'il ne moisira pas trop longtemps dans un tiroir. Je vais devoir bientôt vider les miens, mais je ferai tout mon possible pour qu'un texte comme celui que vous venez de traduire ne tombe pas aux oubliettes et trouve preneur auprès d'un autre éditeur. Je vous l'ai déjà dit, je m'intéresse beaucoup à la pensée de Rabbi Loew ; elle est d'une surprenante modernité. Le Maharal propose une analyse très aiguë, très profonde, de la contradiction qui déchire le monde de l'intérieur, et de l'essentielle contrariété qui tourmente l'esprit de l'homme, et sa vision du vide séparant Dieu et l'homme est d'une intense finesse. — Vous semblez fort bien connaître sa pensée, je doute que le livre que je viens de traduire vous apporte des éléments nouveaux. — Vous vous trompez, dit Adam, mes connaissances sont très superficielles mais le peu que je sais me donne envie d'aller plus loin et je suis curieux de tout commentaire ou même allusion concernant son œuvre. — J'ignorais que vous vous passionniez pour les questions théologiques, observa Ludvík. — Les athées convaincus sont aussi rares que les croyants paisiblement assurés dans leur foi ; disons que j'appartiens à la race indéfinie des incroyants tourmentés, tout comme il y a des croyants dubitatifs. Et vous, de quel côté vous situez-vous ? — Je crains fort d'être tout bêtement en rade ; je patauge dans l'indifférence, avoua Ludvík. — Dommage, c'est comme ça qu'à force on finit par se perdre soi-même de vue. » Cette réflexion d'Adam troubla Ludvík ; un instant il revit le petit garçon qui jetait du sel sur la neige. Et il entendit la voix de l'enfant étouffée de colère qui lui avait crié : « Tu as tout oublié ! Tu as laissé s'affadir le goût de toutes choses… » Il cligna les yeux pour chasser l'image du petit oiseleur aux yeux bleu sombre de ciel d'orage, aux lèvres et ongles mauves. « Quelque chose ne va pas ? demanda Adam. — Non, ce n'est rien. Mes yeux me jouent des tours depuis quelque temps ; il m'arrive d'avoir de légers éblouissements. Sous peu je serai d'ailleurs affublé de lunettes. »

Ludvík se leva pour prendre congé ; Adam le raccompagna jusqu'à la porte. « J'espère que vous repasserez bientôt me rendre visite, avec votre traduction sous le bras, — et vos lunettes sur le nez ! — Au fait, dit Ludvík abruptement curieux d'un détail auquel il n'avait jusqu'alors jamais songé, par quel biais aviez-vous pris connaissance de ce livre que vous m'avez demandé de traduire ? » L'autre eut un sourire amusé : « Par un biais qui ne devrait guère vous surprendre ; c'est en lisant un article de votre cher Brum paru dans un samizdat peu de temps avant le changement de régime, il y faisait mention de cet ouvrage, avec éloge. Cela avait retenu mon attention. — Un article de Brum ? — Eh oui, mais — chut ! n'avez-vous pas déclaré tout à l'heure qu'il fallait à présent laisser ce vieux Brum en paix ? Allez, au revoir. » Et Adam referma doucement la porte.

Ludvík hésita un instant sur le palier, puis il prit le parti de passer outre à cette petite perfidie d'Adam, somme toute insignifiante, et il redescendit l'escalier. Quelle importance cela avait-il, au fond, qu'Adam ait pris connaissance de ce texte par l'intermédiaire de Brum ? Il n'y avait même rien d'étonnant à ce que ce grand explorateur de livres qu'avait été Brum ait découvert cet essai et s'y soit intéressé. Cela ne suffisait pas pour autant à confirmer les soupçons d'une mystérieuse correspondance entre la mort de Brum et un épisode capital de la vie du Maharal de Prague ; pour couper court cependant à toute velléité de relance de ses doutes, Ludvík décida d'aller se changer les idées du côté d'une salle de billard.

Le lendemain il consacra sa matinée à des rangements et du ménage. En époussetant les étagères de sa bibliothèque il fit tomber la carte de vœux couleur de

lait, de sable; les coins en étaient un peu cornés et
le papier commençait à bomber légèrement. Ludvík
posa la carte sur son bureau; pour la réaplatir il plaça
dessus une grosse boule de verre transparent à peine
irisé contenant quelques bulles d'air de tailles diverses
qu'il utilisait en guise de presse-papiers. Ainsi déposé
sur le verso de la carte ce presse-papiers en verre se
doubla d'une autre fonction, celle de loupe, mais une
loupe un peu folle, déformante. Les mots écrits à
l'encre sépia semblaient éclatés et la couleur de l'encre
s'ourlait de nuances roussâtres, orangées, jaunes, et de
cernes violets. Ludvík se pencha sur cette loupe et
s'amusa à regarder les lettres ondoyer et se distordre
au moindre mouvement de sa tête, comme de fines
algues ocre bistre au fond d'un aquarium. Quelques
mots se formaient un instant avant de se courber,
s'étaler, se disloquer; il capta deux mots, — « risque
et chance ». Alors il fit glisser très lentement la boule
de verre le long des lignes, afin de lire le gribouillis
qu'il avait jusqu'alors négligé de déchiffrer. La carte
de vœux délivra enfin son confus message entre les
bulles d'air incluses dans la loupe. « Ils sont en
marche depuis si longtemps. À trop tarder on risque
de les perdre de vue. Or leur errance est notre chance.
Il est temps de se mettre en chemin. Tous mes vœux
de bonne route. Adieu — Votre Joachym Brum. »

Ludvík sentit son sang refluer brutalement puis
affluer de nouveau avec l'ardeur d'une fièvre; il ferma
les yeux un instant. Le visage souffrant du vieux
Brum, son regard effaré lui apparurent, aussi nets
sous ses paupières closes que si le vieillard lui avait fait
face. Il mesurait enfin combien sa négligence à l'égard

de Brum avait été grave, inexcusable. Non content d'avoir autrefois laissé les liens avec lui se distendre, puis de s'être bien peu soucié de lui durant ses années d'exil, il ne lui avait rendu qu'une unique visite après son retour. Et la désinvolture de Ludvík avait continué, il avait laissé se perdre le cahier donné par Eva, sans même avoir eu la curiosité d'y jeter un coup d'œil, n'avait entrepris aucune recherche pour tenter de le retrouver, n'avait jamais vraiment insisté pour retourner à T. tout le temps qu'avait duré l'agonie du vieil homme, et enfin il n'avait même pas deviné que l'auteur de la carte de vœux illisible était Brum, ne pouvait qu'être Brum. Il lui aurait pourtant suffi de vérifier le cachet de la poste au dos de la carte pour être aussitôt mis sur la piste.

En perte de mémoire, en pleine déroute de langage, en naufrage de vie, Brum avait néanmoins réussi à s'arracher un instant à l'étreinte de la mort pour tracer, d'une écriture aussi brisée que sa voix, ces quelques lignes épiphaniques au revers d'une carte couleur de lait, de sable, de larmes et de cendres. Couleur de son cœur en lutte, et en partance. L'effort qu'il avait dû fournir pour écrire ces vœux étranges, ultimes, avait certainement été immense, et épuisant. Mais lui, Ludvík, n'avait daigné s'attarder que quelques minutes devant cette carte qu'il avait d'ailleurs failli jeter.

Il se pencha de nouveau sur la carte, et l'inspecta côté recto cette fois. Il procéda comme pour le décryptage des lignes, en faisant glisser la loupe sphérique. Le grain de l'image et les nuances des tons apparurent avec plus de netteté. Il lui sembla distinguer de très fantomatiques silhouettes, — des ombres blêmes pulvérisées sur du sable clair, ou sur de la neige jaunie. Mais cette scrutation finit par lui endolorir les yeux, il ferma les paupières et appuya ses doigts dessus. Alors se déployèrent dans la nuit de son corps deux taches bleu sombre, — le regard tout à la fois dur et implorant du petit semeur de sel, et à nouveau il se sentit bleu jusqu'au cœur. Il rouvrit les yeux et se laissa tomber sur une chaise, mais le regard de l'enfant continuait à le fixer de l'intérieur, intensément, avec douleur, avec violence. Ludvík éprouvait un profond désarroi ; divers souvenirs, sensations et sentiments s'entremêlaient en lui. Il aurait voulu tout à la fois consoler cet enfant, lui rendre justice, et le chasser à tout jamais loin de ses pensées. Il revoyait des visages qui affleuraient par surimpressions les uns à partir des autres, — celui du petit Lubošek se transformait en celui de l'oiseleur, ce dernier s'allongeait jusqu'à ressembler au jeune homme à la rose de sel qui se transfigurait à son tour, prenant les traits du vieux kiosquier, lequel s'effaçait devant le visage de Brum… le jeu des métamorphoses n'en finissait pas. Tous ces visages en fondu enchaîné donnaient lieu à un drame muet, un étrange drame visuel dans lequel Ludvík se découvrait absent et dans le même temps appelé à comparaître.

Un bruit soudain le fit sursauter. Une bourrasque de neige fondue passait en mugissant dans la cour, secouant les arbres nus et faisant claquer le linge pendu aux balcons. Ludvík se leva et regarda par la fenêtre ; le paysage familier enclos dans la cour prenait des allures fantastiques, — nuées de neige en torsade évoquant des silhouettes d'hommes drapés, drossés par le vent, et draps et torchons blancs comme des linceuls après la résurrection. Mais la bourrasque emporta du même coup sa pulsion ménagère par-dessus les toits et il déclara forfait pour la journée, d'ailleurs il était à court de produits d'entretien et il se trouva ainsi une très bonne raison pour aller faire un tour sous prétexte d'achats à accomplir.

Un panier accroché à un bras, il avançait à petits pas, dos courbé, le long des allées du rayon des produits ménagers dans un grand magasin. S'il examinait avec tant d'attention les rayonnages c'était parce qu'il avait une fâcheuse tendance à confondre les articles, surtout les bombes aérosol. Il avait déjà déposé dans son panier une boîte de poudre à récurer, un lot d'éponges pour la vaisselle, un flacon de gel détartrant et désinfectant, un plumeau à longue tige en plastique vert pomme fluorescent et aux plumes rose criard, lorsqu'il bouscula une cliente. Leurs deux paniers tombèrent et les articles roulèrent sur le sol. Ludvík et la cliente s'accroupirent pour ramasser leurs achats, et c'est alors qu'ils se reconnurent. Il se trouvait nez à nez et genoux contre genoux avec Katia. «Tiens, s'exclama-t-elle, Ludvík le fugitif! Quelle mauvaise surprise, n'est-ce pas? Alors, on fait ses petites courses de vieux célibataire endurci au cœur mal embouché?
— Lequel de nous deux est le plus mal embouché en cet instant? répondit Ludvík en se hâtant de jeter les produits dans son panier. Et puis, ne fais-tu pas les mêmes courses de ménagère solitaire? Tiens, ce nettoyant pour four et cette belle paille de fer font partie de tes emplettes. À chacun son matériel.» Ils se relevèrent en se regardant en chiens de faïence. Soudain

Katia éclata de rire. «Qu'est-ce que c'est que ce plumeau couleur groin de cochon! Tu traques la poussière avec une élégance de soubrette de lupanar!» Ludvík lorgna son plumeau et préféra en rire à son tour. «Bon, on passe aux caisses et on sort boire un verre quelque part?» proposa Katia.

Ils entrèrent dans un bistrot à vins aux tables et chaises en bois sombre; ils s'assirent à une table au fond de la salle, commandèrent une bouteille de tokay. Katia, une fois son premier mouvement d'humeur passé, se montra calme; elle n'en voulait pas à Ludvík de la façon fort désinvolte avec laquelle il s'était comporté à son égard. «Oui, dit-elle, au fond cela m'est égal parce que toi-même m'importe peu; d'emblée, à notre première rencontre, nous savions qu'il ne s'agissait pas d'amour entre nous. Car toi comme moi, on s'est fait un jour si bien disloquer le cœur que nous ne sommes plus capables de nous réenvoler, de nous réenflammer. Nous prenons, nous laissons prendre, mais ce n'est que peau morte, comme cette écorce d'orange que j'ai trouvée séchée à mon poignet le matin où je me suis réveillée dans mon lit que tu venais de déserter sans autre forme de procès. Tu avais composé là un beau poème de non-amour, une charmante déclaration d'impuissance du cœur. — Pourtant, remarqua Ludvík, il paraît qu'autrefois en Chine on offrait des oranges aux jeunes filles que l'on désirait épouser. Je n'ai pas choisi le bon fruit pour te tirer ma révérence. — Mais si, au contraire, puisque tu n'as laissé que l'écorce, pas le fruit dans sa plénitude. Enfin, n'en parlons plus, la chose est faite et c'est mieux ainsi. Contentons-nous désormais de boire, à l'occasion, un verre. À la mémoire des amours mortes, à la santé du temps qui passe. » Ludvík se taisait, le regard absent ; il lui semblait entendre sourdre un morne chuintement d'eau grise au fond de lui. « Te voilà bien morose, fit observer Katia ; si je t'ai flanqué des idées noires tu peux les épousseter avec ton plumeau fuchsia. — Non, je me sens simplement, comment dire ?... un peu vide... — Vide, eh oui, reprit Katia ; dorénavant on se sent vides, un peu, beaucoup, terriblement. Mais peut-être est-ce une épreuve salutaire que ce passage à vide ? Une sorte d'ordalie, même ? Quand l'amour s'en va, que l'autre nous l'arrache à vif et rapte tout avec, on se trouve soudain tout à fait nu, et on se rencontre soi-même sous un nouvel éclairage, un éclairage brutal, décapant, alors on fait crûment connaissance de soi-même. Bas les masques. — Et sous le masque, qu'as-tu découvert ? — C'est ce que je continue à me demander. C'est moi, sans l'être, moi autre que moi, moi expurgée de l'amoureuse tout feu tout flamme qui si longtemps s'est exaltée en moi, dictant sa loi et ses folies. C'est une femme très ordinaire, posée comme une puce sur l'immensité du temps, et qui trottine son chemin dans l'indifférence générale. — Est-il vraiment indispensable d'être plaqué pour prendre mesure de ses limites et de sa propre banalité ? — Bien sûr que non, mais ça aide ; la passion est si remuante, si bruyante, accaparante et encombrante, tant qu'elle nous tient, — jusque et surtout dans la douleur de l'abandon, d'ailleurs, qu'elle a tendance à nous mettre des œillères, à nous rendre inattentifs à tout ce qui ne flatte pas, d'une manière ou d'une autre, notre obsession. J'en suis enfin arrivée au stade du plein consentement, du calme, c'est-à-dire que j'ai cessé de vouloir fuir le vide ouvert en moi, j'ai même appris à m'y tenir debout, j'ai vaincu le vertige. Et là, dans cet austère désert du cœur et des pensées, je découvre une étrange intensité d'être, — parfois je pressens la promesse d'une grande beauté, d'un éblouissement en douceur… je ne sais comment expliquer cela… ce que je sais, du moins je sens, c'est que tout reste à accomplir… — Tout quoi ? — Difficile à préciser ; un tout aux allures de rien, un tout indéfini, illimité. Je m'applique à faire taire en moi les vieilles rumeurs qui continuent à s'y répandre pour ne pas perdre de l'ouïe les infimes résonances qui traversent le silence. C'est peut-être cela, tout ce qui reste à accomplir, — apprendre à s'émerveiller de petits riens, à prêter l'oreille à des soupirs montés très discrètement de l'horizon, vagabonder à l'infini entre les quatre murs de sa chambre, se retrouver soi-même là où l'on ne s'attendait pas, autrement que l'on s'imaginait être. Sentir en soi bruire et frémir le temps qui passe, la vie à l'œuvre en sourdine dans notre sang, renouveler sa vision du monde et des autres, l'air de rien mais de fond en comble. » Katia but une gorgée de vin, reposa son verre, puis ajouta après un instant de silence : « Et je ne souhaite plus, vraiment plus, me laisser réentraîner dans les remous de la passion avec tous ses sournois volcans en archipel. J'ai appris à aimer autrement. Avec détachement. Je veux garder les mains non seulement libres, mais aussi et surtout vides. Toujours plus vides. — Cela ressemble un peu à de l'indifférence, ou du moins en porte le germe.

Tu ne crois pas ? demanda Ludvík. — Tu parles en connaissance de cause ? fit Katia. — Oui, je le crains. Et pourtant… — Eh bien, finis ta phrase. Pourtant quoi ? — Je ne sais pas. Je perds de plus en plus le fil de moi-même, j'ai parfois l'impression de me fissurer de toutes parts, comme une vieille maison à l'abandon. — Méfie-toi, c'est ainsi que les fantômes se faufilent et viennent squatter les lieux. — Pas besoin de fantômes ; il suffit de sortir de chez soi, de croiser un passant dans la rue, d'échanger trois mots avec un inconnu, pour que des doutes, ou le trouble, s'insinuent. Depuis quelque temps, je trouve les gens bizarres ; enfin, parfois. Mais c'est peut-être simplement moi qui ne suis plus au diapason. — À moins que ce ne soit l'inverse, suggéra Katia ; peut-être bien au contraire commences-tu seulement à te mettre au diapason ? Les gens sont toujours un peu bizarres, pour peu qu'on les observe avec attention ; chacun a ses manies, ses tics gestuels ou d'expression, son style de langage, sa manière de grappiller les mots et d'en picorer certains, toujours les mêmes, à profusion. Chacun a surtout son grain de folie, plus ou moins développé, plus ou moins tendre ou fossilisé, semé dans un recoin de son cerveau. On ne voit pas celui qui nous germe dans la chair et qui rampe dans nos veines et nos nerfs, furtivement, comme un lierre invisible, et qui finit par buissonner dans notre cœur et nos pensées, mais on remarque celui qui sort ses petites pousses chez les autres. Tu rouvres enfin les yeux sur les autres, voilà tout. — Cela se peut », se contenta de dire Ludvík qui renonçait déjà à poursuivre la discussion et à faire part de certaines ques-

tions qui le troublaient; dès qu'il s'apprêtait à abor-
der ce sujet, comme la veille encore avec Adam, il
hésitait et reculait presque aussitôt, car il ne savait
comment s'y prendre; il lui semblait s'avancer sur des
sables mouvants, perdre le fil avant même d'avoir
réussi à le trouver. Mais Katia, qui avait longtemps
arpenté des zones de brume, de froid et de tourment
assez semblables au fond à celles où s'égarait Ludvík,
sentait confusément le désarroi de celui-ci et, ainsi
poussée par un obscur élan, elle continua à rôder
autour de ce qui préoccupait ses propres pensées. « Il
est bon que les gens nous paraissent un peu bizarres,
c'est le signe au moins que nous avons posé sur
eux notre regard, que nous nous sommes aperçus
de leur présence et que nous avons noté en eux
quelque chose de différent. Parfois cette singularité ne
présente guère d'intérêt, parfois si. Ce qui importe,
c'est qu'ils nous bousculent, nous surprennent, nous
fassent bouger dans notre tête. On ne devrait jamais
sortir indemne d'une rencontre, quelle qu'elle soit,
ou du moins en sortir inchangé; fût-ce d'un atome,
on devrait chaque fois se trouver altéré. Il y a une
légende hassidique qui raconte que toute personne
possède au ciel une lumière qui lui est propre, et
ainsi, dès que deux personnes se rencontrent leurs
lumières font de même; de ce contact jaillit une nouvelle lueur, qui se nomme ange. Mais cet ange né du
face-à-face de deux vivants est éphémère, sa durée
d'existence est de douze mois, aussi disparaît-il si au
terme d'un an les deux êtres qui avaient provoqué sa
naissance ne se sont plus revus. Tout ange engendré
par une rencontre meurt au fil d'une trop longue

absence, il a besoin pour luire que les deux sources de son éclat restent en relation sur la terre. — Eh bien, s'exclama Ludvík, avec toutes les pannes de courant affectif en tout genre qui ont lieu sur la terre, le ciel doit être jonché de poussières d'anges jetés aux oubliettes! — Oui et non; la légende ajoute aussi que l'ange disparu à la suite de la séparation de ceux qui l'avaient engendré peut renaître si ces deux personnes se retrouvent de nouveau et prononcent une bénédiction en se saluant; il leur faut invoquer Celui qui ressuscite les morts. » Elle se tut, et tous deux se regardèrent un instant en silence, la même pensée leur traversant l'esprit, puis ils échangèrent un sourire un peu triste. «Hum, fit Ludvík en reversant du vin dans leurs verres, si par miracle ressuscitait l'ange d'une certaine relation que j'ai eue et qui s'est brisée en mille morceaux très coupants, il n'aurait pas bien bonne mine, il ressemblerait à Lazare rappelé hors de sa tombe et qui déjà pourrissait sous ses bandelettes. Enfin, buvons à la santé de feu nos anges! — La descente au tombeau ou la chute dans les limbes doivent sûrement laisser des traces, mais pourquoi celles-ci ne seraient-elles que laideur et rictus? Si par miracle, comme tu dis, l'ange d'une passion perdue peut reprendre vie, il doit renaître transfiguré; les anges défigurés et grimaçants n'ont aucun intérêt, même pas de sens. L'ange des retrouvailles, avec qui que ce soit, doit être tout lumineux de pardon, d'indulgence, de douceur, sinon il n'est pas. Buvons donc à la santé d'anges plus modestes que ceux catapultés par les passions. À l'ange de l'instant présent!» Comme elle levait son verre à demi empli de vin ambré, elle vit Ludvík à travers. «Tu as la tête à l'envers, une drôle de petite bulle ensoleillée! Inclusion d'un grain de raisin ou d'un grain de folie?» À ces paroles Ludvík repensa à la carte de Brum qu'il avait lue le matin même à l'aide d'une loupe improvisée et déformante, pleine de bulles d'air, et les deux mots «risque» et «chance» se déployèrent en ondoyant dans ses yeux. «Alors, lequel des deux?» demanda Katia qui le lorgnait toujours en jouant avec son verre. «L'un ne va pas sans l'autre, répondit Ludvík sans réfléchir. — C'est vrai, admit Katia en se décidant enfin à porter son verre à ses lèvres, rien ne va sans son contraire; et puis, tout est question d'optique, d'angle de vue et d'interprétation.»

Lorsqu'ils quittèrent le café le ciel virait déjà au brun violâtre; ils se séparèrent sous une pluie battante. «Sale temps pour les anges, constata Ludvík. — Plutôt pour ton plumeau», dit Katia en pointant le sac de Ludvík d'où dépassait le plumeau rose tout rabougri et dégouttant.

Il passa sa journée du dimanche à achever les travaux de ménage et de rangement qu'il n'avait fait qu'amorcer la veille; dans la soirée, quand tout fut enfin en ordre, il contempla le bel état des lieux et, loin de ressentir un peu de satisfaction il n'éprouva qu'un ennui accablant. Cet ordre précaire, cette propreté éphémère, semblaient le narguer, souligner la vanité de son existence occupée de menues tâches sans cesse à réaccomplir, à corriger, le renvoyer à l'inconstance de ses pensées qui n'allaient jamais jusqu'au bout d'elles-mêmes, à la mollesse de ses doutes qui tournaient court, se réempoussiéraient d'un jour sur l'autre. Il se sentit tellement en porte à faux dans cet espace bien ordonné qu'il s'habilla en hâte pour sortir. Alors, comme toujours lorsque son humeur se plombait de la sorte, il prit le chemin d'une salle de billard.

Tandis qu'il tournait autour de la table, observant la disposition des billes et réfléchissant à la meilleure manière d'exécuter son prochain coup, une pensée parasite vint perturber son attention, — celle de l'ange de la rencontre dont Katia lui avait raconté la légende. Il se pencha au ras du tapis, scruta sa bille, cibla le point où il devait frapper, évalua la force du coup à donner, tout en finesse, joua et réussit un superbe coulé. Tout en refrottant de bleu le procédé de sa queue de billard il se demanda quel ange avait pu jaillir de la fameuse rencontre entre l'empereur Rodolphe et le Maharal de Prague ; un ange d'une intense clarté, certainement. Mais n'avait-il fait que fulgurer, juste le temps de l'entrevue entre les deux hommes, pour s'éteindre bientôt après comme un beau feu de paille, ou bien avait-il duré ? Ludvík l'imagina couché au fond du Fossé aux Cerfs, ou bien glissant sur les pierres blondes de la basilique Saint-Georges comme un poudreux rayon de soleil. Mais non, l'Histoire l'avait bien trop mis à mal pour qu'il ait pu survivre. Et cependant, si Brum, lui, avait réussi à retrouver sa trace ? Mais sous quelle forme, et en quel lieu, par quelle voie ? Nulle part ailleurs qu'en lui-même, se dit Ludvík, et par voie d'agonie, de lent détachement et de longue patience, par voie d'exil hors de lui-même, jusqu'à l'ultime échappée de la mort. Sitôt formulée, cette supposition le chiffonna, elle recelait une contradiction, juxtaposant la plus profonde intériorité et une absolue extériorité ; il frottait toujours avec grande application l'embout de sa queue de billard sans prendre conscience de l'absurdité de son geste. Puis il sauta par-dessus l'apparente contradiction, il se rappela ce qu'avait dit Katia après l'avoir observé à travers son verre de vin, que tout est question d'optique, d'angle de vue et d'interprétation, jugement d'ailleurs porté par le Maharal d'après lequel toute chose peut, dans le même instant, être d'une certaine manière et d'une autre radicalement différente selon le point à partir duquel elle est considérée, — point minuscule de la finitude, ou point dilaté, éclaté de l'infini et de l'éternité, perspective humaine tout encombrée d'œillères, souvent frappée de myopie, voire menacée de cécité, ou perspective divine, illimitée et rayonnante. Il y avait disproportion, torsion et même discorde entre ces deux optiques croisant leurs feux sur l'univers, — et surtout déchirure entre ces deux regards portés l'un sur l'autre. C'était à la croisée de ces feux que le Maharal avait tenté sa vie durant de se hisser ; avait-il discuté de cela avec l'empereur Rodolphe, lors de leur entrevue secrète ? « Dites donc, lança une voix agacée qui fit sursauter Ludvík, je crois qu'il est au point votre procédé, depuis le temps que vous le frottez ! Si ça ne vous gêne pas de vous déplacer, j'aurais besoin d'un peu de place ! » Deux joueurs avaient pris position près de la table voisine et Ludvík, planté comme un piquet entre la leur et la sienne, les dérangeait. Il s'excusa et se remit à jouer, mais il était trop déconcentré et il rata lamentablement tous les coups qu'il élaborait. Il préféra arrêter et il quitta la salle, ulcéré par le rire goguenard que les deux joueurs qu'il avait contrariés émirent dans son dos. Dans la rue il s'alluma une cigarette et s'aperçut alors que ses doigts étaient tout barbouillés de craie bleue.

Le surlendemain il se rendit chez l'opticien chercher ses lunettes. Quand il les ajusta sur son nez et qu'il se regarda dans la glace il éprouva une sensation désagréable, les branches lui pinçaient les tempes, les verres lui brouillaient encore davantage la vue et la monture en métal lui déplaisait. Il les rangea en hâte dans leur étui qu'il glissa dans sa poche. Il entra dans une brasserie ; tout en vidant sa chope il triturait l'étui au fond de sa poche, mais il n'osa pas le sortir, comme s'il s'agissait d'un objet honteux ou ridicule. Il attendit de se trouver dans une rue assez déserte pour essayer à nouveau ses lunettes et il marcha un moment le nez chaussé de ses besicles, s'arrêtant devant les enseignes et les affiches pour tester sa vue. L'impression de léger vertige persistait, même si ses yeux commençaient déjà à s'habituer aux verres et percevaient avec un peu plus de netteté le monde visible et surtout lisible qui l'entourait. Il se promena ainsi assez longtemps au fil des rues pour mettre à l'épreuve ce qu'il nommait ses yeux nouveaux, et il oscillait entre la satisfaction et l'agacement ; il distinguait mieux, soit, mais ça tanguait en douce autour de lui. Il regarda sa montre ; il avait encore le temps de repasser à l'hôpital et peut-être une chance de consulter en vitesse l'oculiste.

Il attendait assis sur un banc, dans un long corridor. Une porte s'ouvrit, un type sortit, un pansement flambant neuf en travers d'un œil, et aussitôt la femme qui attendait aussi non loin de lui se leva, flanquée de son petit louchon de fils, et elle s'engouffra dans le bureau de consultation. Ludvík se retrouva seul dans le corridor. Une femme en blouse crasseuse apparut au fond du couloir, elle portait un seau et un balai-brosse. Elle se mit à lessiver le linoléum couleur de café au lait caillé. Arrivée à la hauteur de Ludvík elle reposa son seau, y trempa sa serpillière qu'elle essora avec énergie ; ses avant-bras dénudés avaient quelque chose d'onduleux et évoquaient de souples racines d'un blanc laiteux. Ludvík jeta un coup d'œil sur son visage, par-dessus ses lunettes ; elle avait des joues creuses et une bouche large d'un rouge sombre, des yeux noirs cernés de bistre clair et des cheveux châtains, déjà grisonnants, noués sur la nuque par un lambeau de gaze. Il admira son cou, mince et très blanc, la gravité de ses traits, et lui trouva une beauté austère. Du coup il ôta ses lunettes et se massa la racine du nez. La femme s'embruma ; il dut alors la dévisager d'un air un peu hagard car elle lui dit : « Faudra vous y faire à regarder le monde de derrière vos petits hublots, c'est comme ça avec l'âge. » Elle avait une voix basse, légèrement rauque, qui plut à Ludvík, aussi préféra-t-il rire de son impertinence et il lui répondit en souriant : « Vous en parlez à votre aise, vous n'êtes pas affligée de cette vilaine prothèse, vous ! » Elle tire-bouchonna la serpillière au bout du balai et reprit son travail, puis elle dit de son ton voilé : « Moi, je regarde le monde à cœur nu, je vois

133

en grand la détresse des gens minuscules et en infime
la splendeur des puissants. Rien ne pourra me nor-
maliser la vue.» Elle poussa son seau d'un pied et
continua un peu plus loin son lessivage. Ludvík, intrigué par cette remarque et séduit par le timbre assez
rauque de la voix, se tourna dans la direction de la
femme et lui demanda ce qu'elle entendait par là. Elle
ne répondit qu'après quelques secondes, en lui tournant le dos. «Ce que je dis est simple, qu'avez-vous
donc besoin de plus d'explications?» Et elle se tut à
nouveau, toujours lavant le sol. Ludvík n'avait en effet
nul besoin d'explications, il voulait juste entendre le
beau son de sa voix. Il l'observa tandis qu'elle tra-
vaillait; ses jambes étaient aussi minces et finement
musclées que ses bras, elle portait des espadrilles ava-
chies et des socquettes de laine grise qui bâillaient
autour de ses chevilles, découvrant des tendons très
marqués et un peu de la rondeur des talons. Il avait
envie de relancer la conversation, alors, faute d'ins-
piration, il débita quelques platitudes pour l'inciter
à reparler. «Bien sûr, dans votre métier, on côtoie
tout le jour des gens souffrants et…» Elle se retourna
vers lui avec brusquerie. «Que savez-vous de mon
métier?» Décontenancé par cette rudesse, et surtout
par le regard d'encre qu'elle fixait sur lui, il ne sut que
bredouiller: «Eh bien…, vous entretenez la propreté
des lieux, dans cet hôpital, et cela… — Cela quoi?
Pourquoi ces circonlocutions? Vous n'allez tout de
même pas me tenir un baratin de médecin-chef péro-
rant face à la basse-cour des filles de salle, non? Je suis
la souillon de service, voilà tout. Je dis cela sans com-
plaisance, ni défi. Je parle franc.» Elle se remit à la

tâche. Ludvík n'osait plus relancer le bavardage qui tournait vraiment trop vite au vinaigre, tant pis pour la sourde mélodie de la voix. Du coup il replaça ses lunettes sur son nez. Mais bientôt la femme reprit la parole, alors qu'elle s'accroupissait près du seau pour y replonger la serpillière. «Laver est une grande chose, vous savez. Ainsi laver le sol, — on efface les traces des semelles sales mais les pas, les pas, on ne peut les effacer, ils vous résonnent à jamais dans le cœur. Et laver le sang des blessures, cela vous rougit à jamais les paumes, et les rêves. Et laver les morts, — on leur lustre la peau, mais chaque pore exhale encore un souffle, c'est l'âme qui s'en va, tout étonnée d'être délestée de la chair, d'être si nue soudain; on sent ce souffle vous frôler les mains, mendier un appui au bout de vos ongles. Laver les morts, on en garde à jamais un silence au cœur. C'est chaque fois l'épreuve du Jeudi Saint : le Tabernacle est vide. Dieu est ailleurs, toujours et si étrangement, terriblement ailleurs. C'est ça un cadavre, — un tabernacle déserté, l'esprit du vivant s'en est allé. Et nul ne sait vraiment où. » Elle redéploya la serpillière après l'avoir tordue, une eau brune en dégouttait. «Et les larmes, monsieur, laver les larmes! Je ne parle pas seulement de celles qui coulent le long des joues, mais aussi de celles qui suintent au-dedans de la chair, qui ruissellent en sourdine dans la gorge, depuis la nuque jusqu'aux reins, et qui se mêlent au sang, au souffle, à la salive, à la sueur. Combien de gens portent au creux de leurs entrailles de longs stalactites de sel lacrymal; quand on lave les malades dans les chambres on entend chuinter ces invisibles stalactites, et quand on lave les morts on entend se briser ces concrétions de larmes. »

Ludvík écoutait, insoucieux de l'heure, et même de ses lunettes juchées de guingois sur son nez. Il contemplait la femme qui arpentait le corridor, penchée sur son balai, et qui ponctuait son soliloque d'imprévisibles silences. La voix s'éloignait, se rapprochait, selon les allées et venues de la femme. «Ah, et les larmes des femmes! dit-elle en rejetant en arrière une mèche de ses cheveux coiffés à la diable, un proverbe ose prétendre que la pluie du matin sèche aussi vite que les larmes des femmes, une jolie rosée inconsistante. Mais que savent les hommes à ce sujet, que savent-ils en vérité de nos chagrins, de nos craintes et de nos douleurs, eux qui s'interdisent de pleurer? Rien! Que savons-nous d'ailleurs des pleurs cachés des uns et des autres? Rien! Et des larmes des anges qui boitent dans nos ombres de pécheurs désinvoltes? Moins que rien! Quant aux larmes que Dieu verse au plus secret de sa solitude, nous en ignorons tout; au mieux nous les nommons silence, au pire nous les taxons de mutisme.» Elle s'accroupit de nouveau, frotta une tache, puis se redressa, jeta la serpillière dans le seau qu'elle souleva par la poignée, saisit le balai dans l'autre main, et revint en direction de Ludvík. Alors sa voix prit des inflexions encore plus sourdes et lentes. «Toutes ces larmes, monsieur, qui forment stalactites au fond de nos entrailles, qui s'enroulent en spires autour de nos cœurs, qui nous embuent les songes et la mémoire, et qui se brisent au jour de notre mort, eh bien, elles sécrètent le sel de l'oblation. Car mourir est, qu'on le veuille ou non, une oblation. Est-ce au néant, est-ce à Dieu ? Il faut parier, c'est pile ou face, il n'y a pas de moyen terme, aucune tiède échappatoire. C'est tout ou rien. Il faut parier, il faut risquer. » Elle s'arrêta un instant, cala le balai contre son épaule et de la main réentortilla sa mèche rebelle derrière son oreille. Ses mains étaient rougies, gercées, et les ongles rognés. Plus Ludvík l'écoutait et la regardait, plus il était surpris par les contrastes de sa personne ; elle tenait un langage déconcertant, en apparence si peu en accord avec la fonction qu'elle occupait, et de même son allure élancée, sa beauté grave, altière, juraient avec sa blouse sale, ses socquettes difformes, le misérable lambeau de gaze noué autour de ses cheveux. Et surtout ses propos contenaient d'obscures résonances qui jetaient plus que jamais l'esprit de Ludvík en alarme. Mais il n'osait rien dire, poser aucune question. Un grand froid se déployait en lui.

La femme reprit en main son balai et se remit en marche. Elle passa devant Ludvík mais ne lui accorda aucune attention, comme s'il n'était pas là, et elle poursuivit son monologue. « Peut-être qu'à l'heure de notre mort, c'est le poids du sel déposé par nos larmes qui fait pencher l'âme en partance du bon côté, — celui où Dieu se tait. Oui, pencher du vaste, du lumineux côté, même si on avait parié le contraire. Le sel des larmes pèse un si grand poids, brûle d'un si long feu, il peut bien tout faire basculer, tout embraser, tout purifier, fût-ce au dernier instant. Comment savoir ? N'est-il pas prescrit : "Tu saleras toute oblation que tu offriras et tu ne manqueras pas de mettre sur ton oblation le sel de l'Alliance de Dieu ; à toute

offrande tu joindras une offrande de sel à ton Dieu"?
Puisque la mort est oblation… et alors, quel autre sel
lui adjoindre, sinon celui de nos larmes? Du sel pour
purifier, mais plus encore, bien plus essentiellement,
pour aviver la soif. Car, lequel, de l'homme et de
Dieu, a le plus soif de l'autre, lequel surtout a le plus
besoin que l'autre ait soif de lui? Allez savoir! En
amour, on ne sait jamais rien. Le Christ sur la croix,
à l'instant de mourir, n'a-t-il pas dit "J'ai soif"… c'est
qu'il avait bu toutes les larmes des hommes, et avait
aussi goûté à celles de Dieu. Il est mort au confluent
de ces deux pleurements, à la croisée de ces deux
soifs.»

Et sur ces mots proférés au rythme de son pas
d'une lenteur majestueuse, avec le balancement du
seau en guise de métronome et le balai qu'elle poussait devant elle comme un saunier son râteau, la
femme sortit du corridor par une porte du fond.
Ludvík sentait battre son cœur à coups sourds et un
étau de glace lui enserrer les tempes; ses lunettes
n'étaient plus en cause, d'ailleurs elles lui glissèrent
du nez et tombèrent sur le sol. Un verre se détacha,
l'autre se fêla. Il était à présent tout à fait vain d'attendre dans ce couloir. Il ramassa le verre et la monture et s'en alla à son tour. Il ne chercha même pas à
retrouver la balayeuse au troublant soliloque; à quoi
bon, puisqu'elle aurait certainement à nouveau rétor-
qué «ce que je dis est simple, qu'avez-vous besoin de
plus d'explications?», s'il avait tenté de lui poser des
questions.

Rentré chez lui il fut étonné par l'ordre qui y
régnait; il se tint un moment au seuil de son bureau,

contemplant les rayonnages bien rangés. Il entendit la pendule des voisins carillonner en sourdine derrière le mur, sept petits coups au son gracieux. Ludvík regardait cet espace familier, écoutait les bruits de l'immeuble et ceux montés de la rue. La vie suivait son cours, avec lenteur, tout à fait normalement, paisiblement ; il le constatait, il se sentait en parfait état de lucidité et de calme, et dans le même temps un contre-courant tirait sa vie ailleurs. La lente infiltration de l'insolite dans le tissu du quotidien au fil des semaines, des mois, venait de se transformer en flux d'étrangeté qui submergeait, l'air de rien, l'ensemble du réel. Et il doutait de tout, d'un doute aigu, indéfini, et s'attendait à tout. Il avait l'impression qu'il n'y avait plus de refuge, en aucun lieu, pour reprendre pied dans la simplicité du réel. Il ne tentait pas de dépister la source de ce flux d'irréalité qui se mêlait au cours pourtant si banal de sa vie ; d'ailleurs il n'aurait su dire s'il s'agissait d'une crue d'irréalité, ou bien de surréalité, ou encore de para-réalité ou même d'infra-réalité. Il n'avait pas de mot pour définir le trouble qui ne cessait de croître en lui, il éprouvait seulement une sensation très vive d'effondrement interne, de dédoublement de sa conscience. Il n'avait pas davantage la force, ni l'envie désormais, de lutter contre ce courant incompréhensible, car peut-être celui-ci n'avait-il tant grossi et pris d'élan que parce qu'il avait essayé de lui résister, de lui échapper ? Alors, s'il se laissait traverser par lui, porter par lui comme un naufragé faisant la planche pour épargner son énergie, peut-être que ce courant s'épuiserait de lui-même.

Le lendemain matin il prit le train de bonne heure. Il partait pour T. ; la cérémonie était prévue en fin de matinée, il se rendrait directement de la gare au cimetière, puis il reprendrait un train en milieu d'après-midi ou en début de soirée pour rentrer, selon le déroulement de la journée. Il espérait qu'Eva l'inviterait à passer un moment chez elle, il désirait revoir une dernière fois l'appartement de la rue des Tilleuls où s'était écoulée la vieillesse de Brum ; il repensa à la lumière ambrée du salon, aux grandes bibliothèques couvrant les murs, à la forte odeur de cire exhalée par les meubles et le plancher, aux vieux tissus et tapis à dominante lie-de-vin, et aux reproductions de gravures de Bohuslav Reynek qui ornaient un peu partout les étagères, les portes, — de merveilleuses images du cycle de *La Neige*, de *Job*, de *La Passion*, de *Don Quichotte*. Brum avait toujours été un grand admirateur de Reynek dont il appréciait autant l'œuvre de traducteur que celle de poète et celle de graveur, une œuvre inspirée, visitée de lumière comme un jardin qu'éclaire au crépuscule un cerisier en fleur, pénétrée de silence comme un sous-bois recueilli sous la neige, et éblouie de songe d'une intense douceur comme un dormeur dont un ange effleurerait les paupières et les lèvres. Brum avait surtout aimé l'homme, le solitaire de Petrkov en si profond accord avec la terre et les saisons, en si lumineuse compassion avec les bêtes et les hommes, en si sensible écoute du langage, et en si longue et attentive veille au bord de l'invisible. Et pour la première fois Ludvík mesura combien ces deux hommes avaient au fond semblablement vécu.

À T. la neige tenait encore, épaisse et dure. Et ce

fut sur cette neige, dans l'enclos du cimetière, que furent dispersées les cendres de Joachym Brum ; elles ne semèrent qu'une ombre frêle, pareille à celle des oiseaux que nourrissait de sel le petit garçon dans la montagne. Mais il n'y avait pas d'enfant pour faire ici le don du sel et souhaiter la bienvenue ; il y avait Eva, toute de noir vêtue, quelques vieilles personnes, et lui, Ludvík. Ils ne jetèrent qu'une poignée de fleurs, de maigres fleurs de serre, pâles et inodores, dont les pétales seraient bientôt brûlés par le gel. Ludvík se souvint de ce qu'avait dit l'enfant à propos du sel, « eh bien, moi j'en sème sur tout ce que j'aime en signe d'accueil dans ma mémoire, d'invitation dans mon cœur ». Ludvík aurait tant voulu que le petit garçon soit là en cet instant, pour souhaiter une sereine partance à Brum, à Brum qui n'était plus que cendres, cendres déjà se dissolvant dans les cristaux de neige. À Brum effacé de la terre, emporté par le vent, le vent qui tenait lieu de chant, psaume évidé de paroles, souffle sifflant au ras du ciel.

Après avoir échangé quelques paroles et embrassades avec Eva les gens se retirèrent, et Ludvík se retrouva seul à ses côtés à la sortie du cimetière. Elle était plus taciturne que jamais ; Ludvík n'osait pas lui faire part de son vœu de venir rue des Tilleuls, il lui proposa donc d'aller déjeuner avec lui dans un restaurant, si elle en avait le désir. Elle hésita un moment puis lui dit qu'elle n'avait guère faim ni surtout envie d'être entourée de monde, mais elle l'invita à passer chez elle.

Ils longèrent une avenue bordée de sorbiers puis

prirent un trolley qui les conduisit à l'angle de la rue des Tilleuls. Parvenu au pied de l'immeuble, Ludvík leva les yeux vers les fenêtres du salon de Brum ; elles resplendissaient comme à l'accoutumée. Eva n'avait pas failli à son sens méticuleux de la propreté. En gravissant les marches derrière elle il pensa d'ailleurs que toute la vie d'Eva pouvait se résumer en ces termes : elle était une silencieuse et austère fée du logis. Brum, lui, avait été le doux génie du lieu.

Dans l'entrée ils ôtèrent leurs manteaux ; Eva était vêtue d'un pull et d'une jupe droite, noirs ; le deuil accentuait sa maigreur et la sévérité de ses traits. Ludvík lui trouva une allure de grue couleur charbon en la suivant dans le couloir dont le plancher craquait. Il remarqua aussi que les bruits avaient une sonorité particulière, celle que renvoie un espace vide. Et lorsqu'il franchit le seuil du salon il fut ébloui par la lumière ; le soleil pénétrait à flots par les vitres dégarnies de rideaux, éclaboussait les murs dénudés et jaunis, ondoyait sur les lattes du plancher blondies de cire. Il n'y avait plus un meuble, plus un bibelot, plus un livre ni un tapis. Le salon était désert. Eva, qui remarqua l'étonnement de Ludvík, s'expliqua. Elle déménageait ; à la suite des lois de restitution tout l'immeuble était redevenu la propriété d'un particulier qui avait décidé d'entreprendre d'importants travaux de rénovation, en conséquence de quoi les loyers allaient augmenter et elle n'était pas en mesure de pouvoir assumer de telles dépenses. De toute façon cet appartement était trop grand pour elle à présent qu'elle s'y retrouvait seule, et l'absence de son oncle, qu'elle nommait toujours par son prénom, Joachym, y était trop tangible. Elle avait prévu ce jour où il lui faudrait partir, renoncer à ce lieu où elle avait si long-temps vécu, et elle avait préparé son repli. Elle retour-nait à la case départ, dans son village natal en Moravie. Elle exposa les faits brièvement, d'un ton détaché, sans ajouter le moindre commentaire ni lais-ser percer de désarroi ou de nostalgie. « Mais vous avez encore de la famille, là-bas ? demanda Ludvík. — Des cousins éloignés, mais avec lesquels je n'ai guère gardé contact. Je suis partie il y a si longtemps. J'avais juste quinze ans quand mes parents sont morts, tués dans un accident de voiture. C'est alors que mon oncle Joachym m'a recueillie. »

Eva ne dérogea pas à son devoir de maîtresse de maison, même si celle-ci était démeublée. Elle dénicha un vieux tabouret et une chaise pliante, puis partit dans la cuisine remplir une bouilloire. Le déménage-ment avait eu lieu la semaine passée, elle n'avait gardé que quelques ustensiles, juste de quoi camper jusqu'à son propre départ fixé au lendemain. Elle n'était restée que dans l'attente du jour de l'incinération. Elle improvisa un pique-nique dans le salon, disposa sur le couvercle d'une valise des tomates coupées en quar-tiers, un peu de fromage, du pain et des pommes, le tout présenté dans des assiettes en carton, puis elle apporta deux gobelets emplis de café turc, en s'excu-sant de ne pouvoir offrir qu'un si piètre déjeuner. Ils grignotèrent en silence. Dehors quelques oiseaux lan-çaient des chants aigus, des notes drues. Eva se tenait à contre-jour, assise, le dos très droit, sur la chaise pliante. Les traits de son visage étaient presque indis-tincts, seule s'imposait la noirceur de sa silhouette.

L'absence de Brum se confondait avec la vive lumière paillée qui brasillait sur le plancher, avec les chants stridents des oiseaux de la rue. La mort de Brum se condensait dans le buste rigide et noir de sa nièce.

Eva, qui s'apprêtait à porter un morceau de tomate à ses lèvres, suspendit son geste et, tournant légèrement la tête vers les fenêtres, dit : « Joachym répétait souvent qu'il aurait aimé mourir un matin de printemps, dans la clarté du jour, au son des ramages des oiseaux de retour. Il en fut autrement. Il est mort au plus froid de l'hiver, après la tombée du jour. » À ces mots Ludvík sursauta et sans plus hésiter il demanda : « À ce propos, Eva, qu'entendiez-vous au juste par cette date que votre oncle aurait élue, fixée, avant même d'entrer en agonie, pour mourir ? Vous avez plusieurs fois fait allusion à cela au cours de sa maladie… » Elle laissa lentement retomber sa main vers l'assiette posée sur ses genoux, mais sans bouger la tête, toujours de profil. « Je ne sais rien de plus qu'il n'en savait lui-même. Juste une supposition. — Pas vraiment, insista Ludvík, quand vous évoquiez cette date au téléphone vous sembliez plutôt sûre… — Oui et non. — Mais cette date s'est pourtant révélée exacte…, hasarda Ludvík. — Oui, il est mort au jour prévu », consentit-elle enfin à dire. Alors Ludvík précisa aussitôt : « Jour commémoratif d'un événement vieux de quatre siècles auquel personne, ou presque, n'accorde à présent d'importance. » Eva tourna vers lui son visage et le regarda droit dans les yeux, mais sans manifester d'étonnement ni poser de questions. Comme elle continuait à se taire Ludvík reprit la parole. « Enfin, pourquoi s'intéressait-il à ce point à cette rencontre entre l'empereur Rodolphe et le Maharal de Prague? L'événement fut d'importance, certes, mais tout de même... Tant d'autres choses se sont passées depuis ce jour, au Hradšin de Prague et partout ailleurs dans le monde, pourquoi ce jour plutôt qu'un autre?» Eva inclina la tête vers une épaule et baissa les yeux vers le morceau de tomate qu'elle tenait toujours entre ses doigts. «Cela semble absurde, je le reconnais, et cependant vous avez trouvé de quelle date il s'agissait. Vous aussi, vous saviez. C'est donc que tout cela doit malgré tout avoir un sens.» Ludvík allait l'interrompre pour lui faire remarquer qu'il avait fini par deviner, et encore, après coup, uniquement parce qu'elle l'avait mis sur la piste à force d'allusions pourtant fort confuses, et parce qu'un enchevêtrement de hasards, d'intuitions, l'avait peu à peu conduit à cette supposition, lorsqu'elle ajouta: «Mais il est normal que vous ayez repéré cette date, Joachym la mentionnait dans le carnet que je vous ai remis la dernière fois que vous êtes venu. Il s'intéressait à cet événement depuis longtemps. Je m'attendais d'ailleurs à ce que vous me parliez plus tôt de tout cela...» Ludvík se sentit rougir à la pensée du carnet perdu et, le souffle court, il rétorqua: «Comme vous renversez la situation! Vous glissiez des sous-entendus si discrets, si vagues, à propos de cette date lors de nos brèves conversations téléphoniques, que j'ai cru préférable de ne pas insister...» Eva fit un geste de la main et poursuivit son propos: «Qu'importe. De toute façon ni vous ni moi ne pouvons donner une explication rationnelle à cela; la raison dans toute cette affaire n'a d'ailleurs guère sa place. La raison!

notre siècle l'a tant humiliée, il a tellement meurtri notre conscience ! Joachym n'a jamais pu en prendre son parti, ce siècle empuanti par l'odeur des charniers le tenait à la gorge, la lui serrait comme un sanglot. Mais il n'a jamais désarmé dans sa quête d'un sens, il n'a cessé de tâtonner, autant qu'il le pouvait, où il pouvait, dans le brouillard souillé de sang, de sueur et de larmes de sang dont s'est couvert notre temps. Dans son errance il a trouvé cet halo de clarté, la trace laissée par deux hommes ayant tenu conciliabule en marge de la fureur de leur propre époque, et donc au cœur du chaos de leur temps. De ce petit halo aussi lointain que légendaire il a fait son fanal à l'approche de la mort. Après tout, la lumière des étoiles ne voyage-t-elle pas pendant des milliers et des milliers d'années avant de parvenir dans notre champ céleste ? Plus on fait corps avec son temps, plus on habite le présent, et plus on existe aussi en temps décalé, en temps multiple. » Elle fit une pause, elle souleva à hauteur de son visage le quartier de tomate dont la pulpe luisait, puis le redéposa sur l'assiette et épousseta les quelques miettes de pain tombées sur sa jupe. Ludvík l'avait rarement entendue autant parler ; il semblait que les paroles, les expressions de Brum retrouvaient vie en elle. Bientôt elle reprit le cours de son monologue à deux voix avec une ampleur et une aisance inattendues. « Oui, la raison est ici déboutée, il s'agit plutôt d'une passion. Car c'est bien d'une passion qu'il se sera agi. Une longue et austère passion de la conscience, du cœur, de l'âme. Une infinie compassion, et celle-ci s'est cristallisée autour d'un événement assez secondaire en apparence, mais suffisamment puissant pour supplanter en lui son désir de mourir au printemps. Je ne sais d'ailleurs pas si c'est la maladie qui a fait éclater cette inquiétude en lui jusqu'à la transformer en désastre intérieur, ou bien si c'est cette inquiétude, à force de couver, qui a provoqué la maladie. Un confus tourbillon. Au fur et à mesure où il perdait le fil de la mémoire et l'usage de la parole je voyais resurgir en lui cet effroi pour son siècle, se rouvrir cette blessure de la raison ; plus les souvenirs de sa propre existence se délitaient, et plus perçait cette pensée en alarme. Il s'est mis à tourner comme un fou, du fond de son fauteuil, puis de son lit, autour de ces questions aussi vieilles que l'humanité : pourquoi les justes sont-ils toujours bafoués, pourquoi les espoirs sont-ils toujours déçus, pourquoi tant d'innocents sont-ils sans cesse mis à mal, mis à mort, dans l'indifférence générale, le mensonge, pourquoi faut-il toujours que ce soient les violents, les puissants, les arrogants qui l'emportent et dominent ? Un jour, alors qu'il était assis dans son fauteuil, près de cette fenêtre, là, je l'ai vu jeter avec rage le journal qu'il était en train de lire. C'était un après-midi de septembre, il faisait beau, le salon était baigné de lumière. En jetant le journal sur le sol il a dit, se parlant à lui-même : "Ça suffit !" Le ton de sa voix m'a surprise ; un ton si sourd, si étouffé de colère, de détresse… Je lui ai demandé ce qui se passait, il ne m'a pas répondu. Je me suis approchée de lui, mais il ne semblait ni me voir ni m'entendre. Puis il s'est levé et s'est retiré dans sa chambre en me disant qu'il se sentait fatigué et voulait se reposer un peu. Quand j'ai frappé à sa porte vers le soir pour savoir s'il se sentait mieux et désirait dîner, il n'a pas répondu. J'étais inquiète, j'ai entrouvert la porte sans faire de bruit. Il était étendu sur son lit, les yeux grands ouverts, fixant le vide. Je suis entrée, me suis approchée de son lit, et j'ai vu que son visage ruisselait de larmes. Mais lui ne semblait pas s'apercevoir qu'il pleurait. Je me suis assise à son chevet, j'ai pris ses mains dans les miennes, elles étaient glacées, et tremblaient. Ses lèvres aussi tremblaient. J'ai essuyé son visage trempé de larmes. En me penchant tout près de lui j'ai entendu qu'il murmurait, les mâchoires toujours serrées pourtant. Il disait qu'il avait traversé ce siècle sans avoir rien compris au mal qui y régnait, qu'il avait honte d'être si vieux tandis que la vie avait été volée à des millions d'enfants, et il répétait qu'un feu venait de lui jaillir dans le cœur, ce grand feu allumé sans répit par la horde des bourreaux qui avaient déferlé et continuaient à sévir dans le monde, et qu'il sentait brûler les livres, tous les livres qu'il avait lus, médités et aimés tout au long de sa vie, brûler les mots, les poèmes, brûler la parole des autres, brûler les rires et les chants, brûler le langage. L'horreur du mal était à vif en lui, et rien de tout ce qu'il avait pu lire, apprendre, aimer, ne suffisait à l'apaiser. Le langage était la proie des flammes, dans sa chair, dans son cœur…

« Dans la nuit il a eu sa première attaque. À son retour de l'hôpital il ne parlait déjà plus qu'avec beaucoup de difficulté. Il restait prostré des heures dans son fauteuil. Au début je lui ai fait la lecture, de livres qu'il aimait ou de certains articles, mais très vite il me signifiait que cela lui déplaisait. Il avait un geste

brusque de sa main encore valide, comme pour chasser un insecte importun. De cette main, pourtant, il a désigné un jour un certain livre sur les rayonnages. Je me suis empressée de le trouver, je lui ai apporté; il l'a feuilleté jusqu'à trouver la page qu'il recherchait. Celle, précisément, qui relate l'entrevue entre l'empereur Rodolphe et Rabbi Loew, dont nous avons parlé. Il a posé un doigt sur ce passage et a proféré quelques mots de sa voix cassée, presque inaudible. "Je saurai, je saurai ce qu'ils se sont dit ce jour-là. Je comparaîtrai à cette date." Puis il a refermé le livre. Et j'ai compris alors qu'il venait de fixer le jour de sa mort.
— Et ce livre, lequel était-ce? demanda Ludvík. — Je ne sais pas, sur le coup je n'avais fait attention qu'aux quelques lignes qu'il avait lues, m'efforçant de comprendre ce qu'il disait, son élocution était si défectueuse… puis j'ai dû ranger l'ouvrage dans la bibliothèque, et comme il en avait plusieurs consacrés au Maharal de Prague, et aussi à l'époque de Rodolphe II, et qu'il recouvrait tous ses livres de papier kraft, j'ai oublié duquel il s'agissait. Mais cela a peu d'importance; ce que j'ai retenu, c'est la date qu'il avait alors mentionnée et qu'il se destinait comme terme, car il venait de m'annoncer, abruptement, que le compte à rebours de sa mort était d'ores et déjà, et inexorablement, déclenché. Et, pendant les cinq mois qui ont suivi, le temps s'est condensé en un sablier dont je connaissais avec une angoissante précision le nombre de grains de sable. Cent cinquante-neuf jours exactement. Quant au livre, j'aurai tout le loisir de le retrouver lorsque je serai installée dans ma nouvelle demeure et que j'aurai déballé les cartons;

mais tout cela me semble à présent bien secondaire.
— Cela ne l'est pas pourtant… ne m'avez-vous pas
dit tout à l'heure qu'il avait tant souffert de sentir
soudain brûler en lui tous les livres ? Celui-là avait
donc résisté au grand feu éclaté dans son cœur ?
Celui-là, seul ! — Ce n'était pas tant le livre que l'événement relaté, qui l'intéressait… en fait, je pense que
cet événement, si passionnant fût-il par lui-même, ne
l'obsédait si démesurément que parce qu'il s'inscrivait
dans un contexte bien plus ample, comme une virgule lumineuse dans le récit chaotique et obscur de
l'Histoire, comme un tiret, un instant de pause où
reprendre souffle, un creux où luisait une promesse
de sens, ou un point d'interrogation très aigu…
enfin, comme un signe de ponctuation essentiel. Joachym n'était pas un historien, ni un spécialiste des
religions, pas davantage un philosophe ; juste un
homme épris de sens, et de justice… un homme
tenaillé tragiquement par l'espérance, envers et contre
tout, et cela jusqu'au bout. — Et maintenant qu'il
est mort, sait-il enfin ce qu'il voulait tant connaître ?
— Suis-je dans le secret des morts ? fit Eva en le
regardant, à peine l'ai-je été dans celui de Joachym du
temps de son vivant, même si j'ai vécu auprès de lui
toute ma vie d'adulte. J'en suis venue jusqu'à douter
que l'on soit à fond dans le secret de soi-même avec
soi-même. La détresse qui s'est si violemment empa-
rée de Joachym les mois précédant sa mort est liée
aussi à cette méconnaissance, il s'est découvert brusquement hanté par des questions autour desquelles il
n'avait certes cessé de tourner, mais à distance, en
biaisant par des chemins dont la beauté magnifiait

tout. Et soudain les chemins ont tourné court, ils ont pris feu, ont débouché en plein vide. Il ignorait qu'il fût à ce degré impliqué dans les drames de son siècle, il ignorait combien il était requis par ce tourment, par cet amour blessé, mortifié d'impuissance, pour les hommes. — Était-il croyant? Il parlait souvent du divin, autrefois, mais à la façon dont en parlent les poètes qui le touchaient le plus. De Dieu, il ne disait rien. — Qu'aurait-il pu en dire? Que pouvons-nous en dire, les uns autant que les autres? Il faut être vraiment inspiré, ou alors bien téméraire, pour discuter de Dieu. — Mais le dialogue tenu quatre siècles avant sa mort, et vers lequel il a tendu ses ultimes forces d'attention, de pensée, devait, lui, porter sur le mystère de la Création, sonder la résonance de ce nom si problématique, — Dieu. C'est néanmoins ce dialogue-là, pas un autre, qu'il a désiré entendre. Alors?»

Ludvík était pris lui aussi par un impérieux besoin de comprendre, et il posait avec obstination des questions qu'il avait toujours reléguées au rayon des faux problèmes. Mais puisque au cours des derniers mois il avait progressivement perdu ses quelques certitudes et ses points de repère et que la réalité semblait se disloquer comme une eau en débâcle, il se trouvait jeté dans un espace nouveau, insolite, dont il cherchait maladroitement à deviner les lois et la logique, si absurdes fussent-elles. Et puis il se sentait si désemparé dans ce salon vide tout ruisselant de lumière paille et miel, face à cette femme en noir qui se révélait tellement autre que ce qu'il avait pensé; il lui fallait tenter de baliser ce désert en remous.

« Alors quoi ? fit Eva d'un ton presque dur. Je vous l'ai dit, je ne suis pas dans le secret des morts. Ni dans celui de Dieu. Je n'aime pas parler de ce dont j'ignore tout. Avec Joachym d'ailleurs c'est surtout le silence que nous aurons partagé. Le goût pour le silence, l'écoute du silence. » Elle se tut, et ils demeurèrent un long moment ainsi. « Désirez-vous encore du café ? demanda-t-elle soudain d'une voix adoucie, comme si elle se réveillait d'un léger et furtif sommeil. — Non, je vous remercie ; je vais vous laisser à présent. J'imagine que vous avez encore beaucoup de choses à faire, dit Ludvík en se levant. Mais si je peux vous être utile… — Merci, c'est très aimable à vous, mais je n'ai besoin de rien. Tout est déjà prêt, et en ordre. » Elle se leva à son tour, et ajouta avec un sourire où transparaissait un peu de tristesse et d'amertume : « J'ai toujours été une femme d'ordre. Désormais plus que jamais. — Vous dites cela d'un ton de regret, observa Ludvík qui aurait voulu la réconforter, et surtout lui exprimer la sympathie et le respect qu'elle lui inspirait soudain, après tant d'années d'indifférence et même de confus mépris. Vous êtes effectivement une femme d'ordre, mais au sens le plus profond, très intérieur, de ce terme ; ou le plus haut, c'est pareil. Un tel sens m'a fait défaut. — Un grand désordre peut se révéler à la longue également fécond, qui sait ? » dit-elle en haussant légèrement les épaules.

Ils se tenaient debout, face à face. Ludvík distinguait mal les traits d'Eva en contre-jour, il ne voyait que l'éclat de ses yeux ; un éclat contenu, puissant. « Au fait, s'exclama-t-elle brusquement, j'allais oublier… » et elle traversa le salon, se rendit dans l'entrée d'où elle revint avec son sac à main. Un grand sac en toile noire au rabat bordé de cuir couleur tabac. «J'avais mis de côté pour vous un livre auquel Joachym tenait beaucoup, un de ses livres de chevet. Il n'est plus en très bon état, il l'a si souvent feuilleté! Il en connaissait par cœur le contenu. Je l'avais emporté dans mon sac car je ne savais pas si vous partiriez aussitôt après la cérémonie ou si vous resteriez un moment…» Tandis qu'elle fouillait dans son sac, Ludvík se sentit à nouveau rougir, et la tête lui tourna un instant. Il vivait la répétition d'une scène déjà jouée, presque identiquement, quelques mois auparavant lors de sa dernière visite. Il s'attendait à ce qu'Eva lui tende une enveloppe en papier kraft, lui restitue le carnet égaré, — et le congédie avec dureté.

Le temps venait-il de rebrousser son cours, ces derniers mois n'avaient-ils été qu'une illusion temporelle, Brum était-il toujours en vie, tout n'était-il qu'un rêve? Un rêve, mais alors, qui rêvait qui? «Ah, le voici!» fit Eva en extirpant un paquet mince, de format assez large, emballé dans une feuille de journal. Ludvík demeurait immobile, les bras ballants, le cœur battant. Il n'osait pas tendre la main vers ce nouveau paquet, comme si celui-ci allait se désintégrer à son contact; il n'osait pas rompre le charme trouble de cet instant où le temps était en suspens. «Eh bien, prenez! insista Eva. Après presque trente ans passés entre les mains de son destinataire, ce livre revient à son expéditeur.» Ludvík la regarda en écarquillant les yeux, ne comprenant rien à ce qu'elle racontait. «Ce livre, ajouta-t-elle, c'est vous qui l'aviez offert à Joachym, vers la fin de vos études. Vous l'aviez acheté chez un bouquiniste de la Vieille Ville. — Vraiment, je ne me rappelle pas... — C'est si ancien déjà, vous avez dû oublier. Joachym aimait beaucoup ce livre, il disait que c'était un trait d'union entre vous et lui. Je vous le rends, pour qu'il demeure toujours un trait d'union, inversé. L'expéditeur est devenu destinataire. » Ludvík balbutia un remerciement en faisant tourner le paquet entre ses mains. Enfin il le fourra dans la poche de son pardessus, jeta un dernier coup d'œil sur le salon vide où la lumière commençait à se voiler.

Eva le raccompagna jusqu'à la porte d'entrée ; sur le seuil il lui tendit la main, qu'elle lui serra. Alors ils sursautèrent tous deux imperceptiblement et se regardèrent avec étonnement. Il y avait tant d'années qu'ils ne s'étaient plus serré la main. Eva avait toujours coutume de le saluer à distance, les bras croisés sur la poitrine, d'une légère inclination de la tête. Elle eut d'ailleurs aussitôt un discret mouvement de recul et retira sa main, puis esquissa un pâle sourire. Ludvík sourit à son tour, plus faiblement encore. Il aurait voulu dire quelque chose, mais il ne trouva rien à ajouter. Il oscilla imperceptiblement dans l'embrasure de la porte, baissa les yeux, puis il s'effaça du seuil. Elle referma sans bruit la porte.

Volte-face

Il lui restait plus de trois heures à attendre avant le départ de son train. Il flâna donc à travers les rues de T. puis entra dans un café. Il sortit le paquet de sa poche, le posa sur la table et déplia le papier journal. Sur la page de couverture était collée une reproduction d'un tableau de Paul Klee, *Ad marginem,* au centre duquel flotte un soleil pourpre surplombé par un singulier petit oiseau accroché pattes en l'air et tête en bas. Il tourna le livre; au dos s'étalait la reproduction d'un autre tableau de Klee, *Le Fou de l'abîme* dont la face rouge sur fond nocturne esquisse un sourire drolatique tout en versant une grosse larme rouge. Enfin il ouvrit le livre. Sur la page de garde était écrite une dédicace dont l'encre avait pâli. « Pour Joachym Brum, dont la pensée nomade sème les mots des poètes comme autant d'éclats de sel, de soleil et de lune. Avec respect et gratitude. Votre Ludvík. » Il tourna la page et parvint à celle du titre. Il s'agissait d'une anthologie de poésie française de la première moitié du XXᵉ siècle.

Brum n'avait certainement pas attendu qu'un de

ses jeunes étudiants lui offrît cet ouvrage pour découvrir Paul Fort, Francis Jammes, Blaise Cendrars, Guillaume Apollinaire, Jules Supervielle et les Surréalistes, il devait même avoir lu leurs œuvres depuis longtemps. Alors, pourquoi avait-il attaché tant d'importance à cet ouvrage et lui avait-il accordé une place privilégiée, du moins d'après ce que prétendait Eva ? Aurait-il donc éprouvé une si grande affection pour son fervent disciple d'alors ? Mais son ardeur, Ludvík n'avait pas tardé à la perdre, et Brum avait dû en être froissé, ou déçu, sinon blessé. Non, Ludvík estimait qu'il ne méritait vraiment pas qu'un petit livre qu'il avait un jour offert soit conservé fidèlement comme une relique par le destinataire de ce modeste cadeau. Il feuilleta l'anthologie et découvrit un collage réalisé sur un carton du format d'une carte postale et servant de marque page. Encore un montage confectionné par Ludvík qui se souvint qu'il s'amusait parfois à ce genre de jeu du temps de ses études, — disloquer des images, des textes, leur mettre la tête à l'envers, comme le petit oiseau du tableau de Paul Klee, les faire entrer en collision, en mouvement, en rotation.

Ce collage présentait un ciel démesuré, taillé dans les nuées de la *Vue de Tolède* du Greco, un paysage constitué de blocs rocheux aux pentes abruptes prélevés dans une fresque de Giotto, et, marchant à travers ce désert de roches et de ciel houleux, trois hommes immenses et filiformes, aux pieds énormes dont un talon cognait les nuages, la plante de l'autre pied pesant contre le sol. Les silhouettes méticuleusement découpées de statues de Giacometti. Ludvík tourna la carte ; elle était plus récente que le livre dans lequel elle faisait office de signet, elle datait de l'époque où il avait décidé d'émigrer. Il lut les quelques lignes qu'il avait alors écrites à Brum en guise d'adieu. «Ils sont en marche depuis si longtemps, ceux qui vivent, et nous, si immobiles. Je n'ai que trop attendu, j'ai peur de les perdre de vue. Toute errance n'est-elle pas une chance qu'il faut savoir saisir, ainsi que vous me l'avez enseigné? Il est grand temps que je parte. En espérant qu'il nous sera donné de nous retrouver un jour, je vous dis au revoir, avec affection. Ludvík. »

Il reposa la carte sur la page ouverte. Une honte aiguë, glacée, car face à soi seul, le saisit. Lors de la dernière visite qu'il avait rendue à Brum il avait jugé celui-ci sur son aspect physique délabré, — un vieillard atteint de sénilité, amnésique, hoquetant. Un déchet mis au rebut par la vie. Or ce vieillard avait gardé intacte sa mémoire, et vigilante sa pensée, tandis que Ludvík, lui, avait tout oublié. Le livre offert dans sa jeunesse, la dédicace, les images de Paul Klee collées sur la couverture, et la carte envoyée comme dernier signe avant de quitter le pays.

Il avait tout oublié, tout négligé, tout confondu. Et voilà que soudain Joachym Brum, homme devenu poignée de cendres transfondues à la neige, lui restituait son passé, sa mémoire. Lui redressait le cœur, l'esprit, les lui plantait en plein vent. Joachym Brum, homme déjà effacé de cette terre, homme sans tombeau sinon celui creusé dans l'amour de sa nièce, le poussait à se remettre en route, à retrouver le goût de vivre, si amer, acide, fût ce goût. Amer, et néanmoins ardent, tenace. Joachym Brum, en allé vers l'éternité en rebroussant le temps, parti quêter du sens dans l'invisible, et qui continuait à s'ouvrir des tombeaux dans le cœur et la pensée des vivants, de vastes tombeaux vides, étincelants de seconde lumière. Joachym Brum, le destinataire infiniment prodigue qui restituait le moindre don, le moindre mot, en le démultipliant, le magnifiant.

Ludvík reposa la carte à la page où il l'avait trouvée, entre les strophes du poème «Cortège» d'Apollinaire qu'il survola des yeux, et il referma le livre. Il fouilla dans sa mémoire mais ne réussit qu'à en extraire un souvenir bien maigre; il se revit fouinant dans des casiers remplis de livres anciens qui exhalaient une odeur doucereuse de poussière et de papier jauni chez un bouquiniste de Malá Strana où il allait souvent fureter dans sa jeunesse. Boutique depuis longtemps disparue, d'abord remplacée par un magasin de fruits et légumes et, depuis peu, par un magasin de bimbeloterie et de tee-shirts maculés de phrases stupides et de prétentieuses caricatures de Kafka, de Mozart, du Golem ou encore de porcelets lubriques, de têtes de mort ou de portraits de stars et d'idoles. Du livre à la B.D. vestimentaire en passant par les poireaux, les choux et les patates. Mais après tout, le collage assemblant un ciel du Greco, des rochers de Giotto, des marcheurs de Giacometti, n'était-il pas lui aussi à sa façon une bande dessinée racontant sommairement une histoire sans fin? L'histoire de tous, de chacun, toujours recommencée : marcher, marcher jour après jour sur la terre, défier la pesanteur et l'immobilité, arpenter les chemins du temps, du réel et du rêve, scruter la nuit et la lumière, prêter l'oreille aux dits du vent, aux paroles des autres, au sourd chant de la terre, aux clameurs de l'Histoire, au bruit confus de son propre sang charriant tant de mystères, d'échos et de questions. Une histoire pressentie par Ludvík, mais qu'il avait bâclée, alors que Brum l'avait lue, interprétée, traduite dans sa chair et vécue de bout en bout.

Il regarda sa montre ; il lui restait encore une grande heure avant de se rendre à la gare. Il eut envie de retourner voir Eva, il avait tant de questions à lui poser, au sujet de ce livre, et du carnet perdu, et de la carte écrite par Brum à l'Épiphanie alors qu'il était déjà grabataire. Elle avait dû la lire, cette carte, ce ne pouvait être qu'elle qui l'avait postée, elle savait certainement des choses qu'elle taisait, ou du moins comprenait mieux que lui le sens tramé sous l'apparence de hasard et d'absurdité qui scintillait à la surface de leurs vies.

Il repensa à la légende de l'ange de la rencontre que lui avait racontée Katia ; sur le coup il n'avait su que limiter cette fable à sa liaison rompue avec Esther, — grand amour naufragé et ange en irrémédiable déroute. Mais cet ange, si déchu, meurtri fût-il, devait se tenir encore quelque part dans l'espace immatériel du temps, car ce qui a eu lieu ne peut être aboli, rien de ce qui un jour exista ne peut être renié, camouflé en néant. Chaque instant du passé demeure dans la chair du présent, obscur et fécond sédiment, infime casson de lumière indéfiniment refondu et luisant en secret tout au fond de l'oubli. Ludvík sentait en lui bouger et se soulever son passé, se lever une assemblée de transparents plus ou moins ombreux ou lumineux : tous les anges nés des rencontres qu'il avait faites au cours de sa vie. Et parmi eux, si frêle et remarquable, l'ange de sa relation avec Brum.

Ludvík marcha d'un pas rapide jusqu'à la rue des Tilleuls, mais sitôt qu'il y fut parvenu il perdit son entrain. Il se mit à ralentir dès l'angle de la rue, soudain saisi de scrupules et d'irrésolution, et il s'immobilisa sur le trottoir face à l'immeuble, le front levé vers les fenêtres du salon de Brum.

Brum l'en-allé, le si présent dans son absence, si chuchotant dans son silence, voici qu'il se dressait face à Ludvík, lui faisait front, de façon incongrue, déroutante, à travers la façade pourtant bien banale de la maison où il avait vécu. Comme si cette façade était une stèle funéraire érigée en l'honneur de Brum, la dalle d'un tombeau vide bâti à la verticale contre le ciel. Et Ludvík ne pouvait traverser la chaussée, pénétrer dans le tombeau, car subitement il sentait combien il était vain de revenir hanter ce lieu. Brum était tellement ailleurs, et Eva en partance ; et puis, tout n'avait-il pas été dit ? Que pouvait-il attendre d'autre ?

Il demeura prostré sur le trottoir, le regard perdu dans la contemplation de la façade.

Le jour était en déclin, le soleil n'éclairait plus les vitres et nulle lumière n'était allumée à l'intérieur. Les hautes fenêtres ressemblaient à des miroirs sans tain légèrement bleutés dans la semi-obscurité du crépuscule. Des pages de verre où seul le vent du soir traçait des signes invisibles. Et les pensées de Ludvík glissaient, au rythme du vent bleuté. Écrire, puis effacer, lire, oublier, parler, et puis se taire, aimer, et consentir à ne plus l'être, saisir, puis lâcher prise, — aimer, et demeurer fidèle, savoir, et ne plus rien comprendre. Et à la fin, attendre. Attendre les mains vides, le cœur à nu, l'esprit béant, sans pouvoir nommer cela même

162

qu'on attend avec une infinie patience, une extrême endurance. Comme Joachym Brum mort au champ d'un honneur tragiquement intime, immensément humain.

Des paroles prononcées par la fille de salle de l'hôpital lui revinrent en écho assourdi. «Que savons-nous des pleurs cachés des uns des autres?... Toutes ces larmes qui forment stalactites, et qui se brisent au jour de notre mort... toutes ces larmes qui sécrètent le sel de l'oblation...»

Les fenêtres s'obscurcissaient de plus en plus, prenaient un noir d'obsidienne. Et soudain elles furent éclaboussées de lumière, rendues à leur transparence. Une ombre élancée passa, Eva traversait le salon. Elle portait un objet dans ses mains, à hauteur de sa poitrine. Ludvík ne pouvait distinguer quel était cet objet, — un récipient, un plat creux, ou un bol peut-être. Alors réaffleura l'image qui pendant quelque temps s'était montrée à lui en des visions tout à la fois subites, lentes et lancinantes, celle des Rois mages marchant au ralenti dans un désert cendreux. Eva avait la même allure, une reine efflanquée, toute vêtue de nuit, régnant sur un désert au silence sonore. Que portait-elle au creux des mains, — l'éclat de ce silence, les larmes de son oncle, le sel et le feu de ces larmes? Ou sa propre solitude polie par la patience? Ou bien, ou bien, se demanda soudain Ludvík dans un sursaut de pensée folle, et si c'était son cœur à lui, Ludvík, qu'Eva portait dans ses mains maigres, là-haut, dans le salon à l'abandon? Son cœur, ou du moins un petit morceau de son cœur qu'il aurait perdu sans y prendre garde, au cours de la conversation qu'ils avaient eue dans l'après-midi?

Il restait là, planté sur le trottoir, le front toujours levé vers les fenêtres éclairées. De l'une à l'autre glissait la silhouette d'Eva, ombre-reine en exil, ombre-mage sur fond d'or. Et son esprit entrait en apesanteur, partait à la dérive. Il flottait dans un no man's land intérieur, comme si la femme au balai l'avait lessivé, évidé du dedans. Il se sentait dépossédé de lui-même, traversé par d'autres présences que la sienne propre, et par d'autres absences aussi bien.

Soudain la lumière s'éteignit, la pénombre réafflua et engloutit Eva, le salon, le feu pâle des larmes de Brum, et une part de lui-même. Il frissonna, saisi par le froid de la nuit tombante, et enfouit ses mains dans ses poches, mais il demeura à son poste de guet d'où pourtant il ne voyait plus rien qu'une façade tout assombrie se détachant à peine du ciel brun violacé.

Eva, debout derrière la fenêtre dans l'obscurité du salon, regardait Ludvík posté en sentinelle aveugle en bas sur le trottoir. Elle l'avait aperçu tandis qu'elle traversait la pièce, portant un globe de plafonnier qu'elle venait de dévisser pour aller le laver de la poussière qui l'encrassait. D'abord surprise par la présence de Ludvík dans sa rue si longtemps après qu'il eut quitté l'appartement, puis troublée par l'insistance aussi discrète qu'insolite de cette présence, elle avait arpenté plusieurs fois le salon, tenant toujours le globe empoussiéré dans ses mains, et enfin était allée éteindre la lumière pour venir observer dans le noir ce singulier factionnaire. Que voulait-il, qu'attendait-il? Peut-être rien. «Non, se dit-elle, ce ne peut pas être moi qu'il guette ainsi. De moi, il n'a cure. Il rêve, il

164

dort debout. Un vieux cheval un peu fourbu que frôle un instant de nostalgie. La mort de Joachym le chagrine peut-être un petit peu, malgré tout. Ou alors il veut juste jeter un dernier coup d'œil sur un lieu où il n'aura plus de raison de revenir ? Il ignore qu'il me fixe sans me voir… mais au fond, il ne m'a jamais vue…, et il ignore tout autant que, moi, je le regarde. Tout ça a si peu d'importance, désormais. Quand même, ce sont de drôles d'adieux… »

Les réverbères s'allumèrent dans la rue, diffusant une clarté d'un jaune sourd. Ludvík se tenait entre deux luminaires, nimbé d'un vague halo couleur de paille. De là-haut, derrière les vitres noires, il était difficile de distinguer les traits de son visage. Eva les devinait plus qu'elle ne les voyait, elle remodelait ce visage par la connaissance qu'elle en avait, et un peu d'imagination gauchissait ce modelage. Ludvík sortit les mains de ses poches et les porta jusqu'à son col qu'il boutonna et releva.

Alors le souvenir d'une scène, tenu forclos depuis près de trente ans, s'arracha soudain aux limbes de l'oubli, du déni, pour resurgir au vif de la mémoire d'Eva et s'imposer à sa conscience.

Le souvenir d'un soir où avait basculé son amour, à pic et tout d'un bloc, où avait chaviré sa jeunesse dans une froide indifférence à l'âge, aux élans du désir. À cette époque Eva ne vivait pas encore à T. ; elle et Joachym habitaient la capitale. Ce n'était que quelques années plus tard que Brum s'était replié en province, après qu'on l'eut écarté de l'université et contraint à la retraite. Eva, jeune femme hors d'âge et hors désir, avait suivi son oncle déjà vieillissant.

La scène qui se rejouait à présent dans sa mémoire s'était passée dans un couloir, derrière une porte. Le couloir était éteint, et la porte vitrée, éclairée de l'intérieur. Le vitrage était composé de plaques de verre épais, teintées de jaune orangé ; Eva disait à son ami que la chambre où il logeait lui évoquait un aquarium solaire. Mais ce soir-là la fenêtre ressemblait davantage à un kaléidoscope écœurant de beauté, car beauté à outrance, brutale comme une gifle.

Eva, parvenue derrière la porte, une main déjà effleurant la poignée et l'autre prête à frapper aux carreaux, avait *in extremis* suspendu ses gestes. À travers la paroi de l'aquarium elle venait d'apercevoir une forme insolite qui se mouvait avec langueur. Tout en elle s'était mis en arrêt, sa pensée, son souffle, ses sens, — sauf ses yeux. Sa vue s'était même subitement aiguisée comme si toute son énergie, toute sa force d'attention s'y étaient concentrées.

Dans la clarté orangée de la chambre se tenait une fille brune, assise en tailleur sur le lit, à quelque pas derrière la vitre. Et la fille était nue, belle à crier de colère, impudique à pleurer de chagrin. Eva aurait dû s'en aller aussitôt, se sauver loin de cette fenêtre obscène, ou aurait pu forcer la porte, cogner contre la vitre, mais d'emblée il avait été trop tard. La stupeur l'avait pétrifiée. La vision était trop puissante, elle obligeait Eva à la contempler. La fille trônait comme une idole de chair tout huilée de lumière.

L'idole balançait lascivement sa tête, ses épaules, se cambrait, faisait saillir son ventre, ses seins lourds, puis courbait son dos en une molle cadence. De ses mains elle relevait par instants ses cheveux sur sa nuque, écartait à nouveau ses bras et les glissait derrière ses reins. Deux autres bras se déployaient parfois de derrière ses épaules. Eva voyait tous ces bras ondoyer comme ceux d'un poulpe. Un grand poulpe couleur de miel.

Un poulpe bicéphale. Une tête plus blonde, tout ébouriffée, roulait lentement d'une épaule à l'autre de la fille, puis plongeait derrière son dos pour réapparaître bientôt dans le fouillis des boucles brunes. La tête blonde se lovait dans le cou de l'idole, lui mordillait les oreilles, la nuque. Et la fille éclatait d'un petit rire joyeux qui se mourait ensuite en soupir languissant.

Un octopode. Deux nouvelles jambes avaient jailli aux hanches de la fille, s'étaient glissées sous ses cuisses, se nouant à ses chevilles. Elle s'était cambrée, avait renversé la tête en arrière et remonté ses quadruples genoux qui luisaient comme des galets. Les jambes entrelacées s'étaient ouvertes, lentement, à l'extrême. Alors deux mains avaient surgi au creux des aisselles de la fille pour ramper jusqu'à ses seins, s'y attarder, les caresser, puis ces mains s'étaient doucement faufilées vers le ventre, le bas du ventre, et là, les doigts s'étaient affolés, pianotant dans la frisure noire avant de s'aventurer au cœur de ce triangle de jais fendu d'un ovale vermeil, et d'en écarter les bords.

Eva ignorait l'intimité de son propre corps, et voilà qu'elle lui était révélée crûment, gaiement presque, à travers la paroi semi-transparente d'un aquarium solaire, dans le corps d'une fille bien plus jolie et sensuelle qu'elle ne l'était. Une fille poulpe qui ouvrait ses cuisses et offrait son sexe en toute indolence et joyeuse impudeur, alors qu'elle-même n'avait ouvert et offert que son cœur, en toute confiance et fervente candeur.

Figée derrière la vitre elle regardait les mains, les mains de l'autre plaqué contre le dos de la fille poulpe, et qui tâtaient la chair humide de l'ovale, rose et renflé, rose et plissé, comme une fleur marine écartant ses pétales charnus autour de son cœur, un petit cœur en creux ourlé de nuit. Les mains avaient enfoui leurs doigts dans ce creux ; la fille s'était un peu soulevée et un membre très dru s'était dressé sous elle, puis s'était enfoncé au profond de ce cœur, dans la rose épanouie. Alors les mains s'étaient agrippées aux hanches, puis aux seins, aux bras, aux cheveux, et à nouveau aux hanches, au ventre, aux flancs de la fille qui ne riait ni ne soupirait plus, mais gémissait, criait parfois, tout en dansant sur place, à demi accroupie, secouant la tête par à-coups brusques. Elle dansait une danse bizarre, laide et belle à la fois, Eva n'aurait su dire ; une danse brutale, réduite à des saccades de tout le torse toujours plus pris d'assaut par ces mains qui semblaient se démultiplier et accroître leur fougue, leur vitesse, et qui l'empoignaient à pleine chair pour accélérer le tempo de ses trépidations. Une idole sauvage, ivre de nudité, de rythme et de râles. Et, soudain, l'idole poulpe s'était arquée avec violence, avait poussé un double cri, — l'un qui montait à l'aigu tandis que l'autre éclatait rauque, et les couleurs de la scène s'étaient confondues à ces sons dans les yeux fous d'Eva. Des yeux sonores, hallucinés. Le cri aigu étincelait de jaune vif, le rauque était saturé de pourpre, de bistre et de violet. La fille exultait dans la lumière orange, dans la clarté nacrée de sa chair habi-

168

tée, l'autre sombrait dans la pénombre ardente du dedans de la chair. Puis ce cri double avait décru et le corps de l'idole s'était lentement effondré sur un flanc, — flanc géminé qui haletait comme celui d'une bête blessée. Et là encore les yeux d'Eva avaient été aveuglés par la vue des mains dorsales, l'une posée dans la chevelure brune, l'autre pendant sur l'épaule de la fille qui, elle, avait replié ses bras contre sa poitrine, restait blottie sur sa jouissance.

Eva fixait ces mains échouées sur le corps de l'idole, — celles de l'homme qu'elle aimait et qu'elle n'avait jamais osé que serrer avec force et effleurer parfois de pudiques baisers. Les mains sacrées de celui qu'elle aimait et entre lesquelles elle avait déposé son cœur de rêveuse ingénue. Des mains traîtresses, profanées.

Eva enfin s'était ressaisie, elle avait tourné les talons et était partie sans faire de bruit ni se retourner. C'était un soir de novembre, le vent chassait des feuilles couleur de rouille le long des trottoirs. Couleur de rouille, de boue, de vilenie, comme les mains de l'infidèle. Les feuilles couraient, rampaient au ras de l'asphalte, entraient parfois dans une brève ronde, puis retombaient, s'éparpillaient. Eva avait marché en piétinant ces feuilles mortes, ces mains déchues. Ces mains qui venaient de prostituer leurs caresses devant ses yeux. D'ailleurs, qu'avait-elle vu d'autre que ces mains? Pas une fois elle n'avait distingué le visage de l'homme, toujours dissimulé derrière la chair en excès de la fille, ou bien dans ses cheveux. De la fille non plus elle n'avait pas remarqué le visage. Juste l'éclat des yeux, celui des dents, celui du sexe, par éclairs. Une idole n'a pas de visage, ça surabonde de chair, de membres, d'organes génitaux, ça flamboie d'impudeur, de mensonge, mais ça ne possède pas de visage. Et Ludvík, pour s'être confondu à cette idole, s'être uni à elle, s'était défiguré aux yeux intransigeants d'Eva dont la vie amoureuse avait alors cessé avant même d'avoir vraiment commencé.

Et Ludvík se tenait là, en bas sur le trottoir, entre deux flaques de lumière pâle, les mains nues croisées contre le col. Eva l'avait revu au cours de ces trente années, mais toujours du fond, du froid de cette distance qu'elle avait instaurée et dont jamais elle n'avait assoupli ni diminué l'amplitude, même quand le temps avait prescrit la faute et l'oubli enseveli la scène. Scène qui venait de rejaillir, de fulgurer dans sa mémoire, et de la stupéfier pour la seconde fois, mais sans l'émouvoir à présent. Le temps des amours juvéniles, des élans de vertu, de passion, de jalousie mêlés, était révolu dorénavant. La vie était passée, traçant d'autres chemins, découvrant d'autres espaces à l'horizon du cœur, de la pensée, de l'âme. La vie était passée, grave et lente, en silence et douceur. Et c'était bien ainsi.

Eva contemplait Ludvík à l'abri de la fenêtre éteinte. Une fois encore il y avait regard à sens unique, vision en solitude. Mais vision sans violence, sans déchirure ni dégoût. Et sans regret non plus. Une vision pacifiée. Comme celle qu'elle avait eue de Joachym mort.

Une sensation de vide s'éploya si largement en son corps et son esprit qu'Eva desserra ses mains qui tenaient toujours le globe du plafonnier. Il tomba à ses pieds, se brisa sur le plancher. Fut-ce le bruit du verre se cassant, se dispersant en bris, ou bien la crue de vide en elle, qui la firent frissonner ? Elle eut alors une réaction à long, très long retardement. Elle se déshabilla avec lenteur, avec application, jetant ses vêtements sur le sol parmi les bris de verre.

Et Eva se tint nue, les épaules très droites, derrière les vitres noires. À cet instant Ludvík se remit en marche, il était temps pour lui de regagner la gare. À peine aperçut-il, là-haut, blanchoyer vaguement une forme, — un reflet de nuage ou de lune. Il jeta un dernier regard, puis s'éloigna.

Eva demeura longtemps ainsi, nue dans le froid du salon, immobile dans la pénombre. Ce n'était pas la nudité d'un corps en fête, d'une chair exultante, qu'elle exposait, mais celle d'une peau polie par le silence, la patience, les songes. La douce et blanche écorce de son cœur apaisé par-delà les tourments, les regrets, les rancœurs, les chagrins. Nudité semblable à celle de son oncle Joachym dont elle avait accompli l'ultime toilette à l'heure où il était entré dans le mystère du passage vers l'invisible, — vers la comparution. Un même dépouillement, un même renoncement à soi, à toute possession ; la même profonde, profonde humilité, et chasteté. Nudité de blanche et muette oraison, nudité du pardon, et d'un amour de pure compassion. Et c'était à la nuit, à la nuit descendant sur les toits de la petite ville de T. qu'elle allait bientôt quitter, sur les toits de toutes les villes, qu'Eva offrait sa nudité, comme une obole couleur de lune à la solitude de tous, de chacun.

Et Ludvík se hâtait vers la gare, par les rues et ruelles de la ville enneigée et déjà assoupie que nimbait une clarté lunaire, qu'effleurait la blancheur d'un corps de femme semant loin alentour sa très pure et troublante nudité en un geste immobile. La blancheur d'un cœur de femme tout argenté de cendres et de recueillement, jonché de feuilles mortes devenues translucides, ébloui d'étonnement et de désolation.

Les haut-parleurs annoncèrent l'entrée du train en gare ; mais en quelle langue s'exprimaient donc ces haut-parleurs ? Bien qu'il comprît le sobre message qu'ils diffusaient, Ludvík écouta cette voix brouillée de grésillements avec surprise, comme si elle s'élevait des confins de la terre et du temps, ou bien résonnait dans un rêve qu'il aurait été en train de faire en plein état de veille et de conscience.

Le train roulait dans la nuit mauve. Il tanguait doucement à travers un paysage s'appauvrissant de plus en plus ; des entrepôts, quelques maisons, des jardinets couverts de neige, des vergers noirs, et puis des champs, des prés troués d'étangs, des bosquets défeuillés, et tant de ciel, tant de nuages enlunés sur tant de terre bleue de neige.

Le train roulait en murmurant, tout bas, tout bas. C'était la vie qui chuchotait, qui chantonnait sa mélopée, si lente, si instante. Ludvík ressentait une paix telle qu'il n'en avait jamais connu tant elle était singulière, paradoxale même, — cette profonde sensation de paix qu'il éprouvait déployait à mesure en lui une égale impression d'alarme ; il se sentait comme menacé d'émerveillement, ébloui d'appréhension, en état d'alerte radical et fabuleux.

Ludvík ne s'ensommeillait pas malgré sa fatigue,

les émotions de la journée, le monotone roulis du train ; il était trop sur le qui-vive, requis par une attente indéfinissable pour pouvoir s'assoupir. Il ne se passait rien pourtant, mais, en ce rien justement, dans la banalité de l'heure et du lieu, il pressentait quelque chose d'extraordinaire. Et tout lui paraissait admirable, jusqu'à l'ampoule du plafonnier, les vitres sales, les buissons rabougris défilant le long des talus.

Le train murmurait sa rumeur, dévidait son long écheveau de bruits, de sons ; de sons filés auxquels s'entre-tissait l'écho de voix lointaines, feutrées de nuit, cendrées de neige, lactées de larmes et de lune. Et la voix de Brum, plus que toute autre, s'y déroulait en basse continue.

La voix de Brum qui psalmodiait un poème ;

Oiseau tranquille au vol inverse oiseau
Qui nidifie en l'air
À la limite où notre sol brille déjà
Baisse ta deuxième paupière la terre t'éblouit
Quand tu lèves la tête (…)

Ludvík confondait toujours plus le roulement du train et la voix chuchotante de Brum, et il sentait frémir au fond de lui l'oubli, comme une eau en dégel. Les mots murmurés remontaient de loin, par bribes.

Oiseau tranquille au vol inverse oiseau
Qui nidifie en l'air
À la limite où brille déjà ma mémoire
Baisse ta deuxième paupière
Ni à cause du soleil ni à cause de la terre

Mais pour ce feu oblong dont l'intensité ira s'augmen-
tant
Au point qu'il deviendra un jour l'unique lumière

La voix de Brum bruinait dans la nuit, contre la vitre, son souffle se faisait palpable, grenu comme une peau. Ludvík écoutait. Il écoutait dans un total oubli de soi, dans un extrême recueillement, cette voix si lointaine et intime qui traversait la nuit, qui respirait en lui.

Un jour
Un jour je m'attendais moi-même
Je me disais Guillaume il est temps que tu viennes
Pour que je sache enfin celui-là que je suis
Moi qui connais les autres
Je les connais par les cinq sens et quelques autres (…)

La voix de Brum dévidait doucement en sa chair, en son sang, en sa conscience au comble de l'éveil et de l'attention, les vers d'Apollinaire. Ludvík était l'hôte de la beauté du poème, — hôte qui tout à la fois donne et reçoit accueil. Un hôte en visite en cela même qui vient le visiter. L'hôte d'un songe s'exprimant du cœur de la réalité.

Ô gens que je connais
Il me suffit d'entendre le bruit de leurs pas
Pour pouvoir indiquer à jamais la direction qu'ils ont
prise
Il me suffit de tous ceux-là pour me croire le droit
De ressusciter les autres

Un jour je m'attendais moi-même
Je me disais Guillaume il est temps que tu viennes
Et d'un lyrique pas s'avançaient ceux que j'aime
Parmi lesquels je n'étais pas (…)

Cela montait des profondeurs, cela affluait de l'horizon, sourdait de la nuit, s'exhalait de la neige, de nulle part, de partout, jusqu'en lui, chair et sang.

Puis sur terre il venait mille peuplades blanches
Dont chaque homme portait une rose à la main
Et le langage qu'ils inventaient en chemin
Je l'appris de leur bouche et je le parle encore
Le cortège passait et j'y cherchais mon corps
Tous ceux qui survenaient et n'étaient pas moi-même
Amenaient un à un les morceaux de moi-même
On me bâtit peu à peu comme on élève une tour
Les peuples s'entassaient et je parus moi-même
Qu'ont formé tous les corps et les choses humaines (…)

Alors les mots, forts de tant de beauté, saturés à l'excès de songe et de réalité mêlés, crevèrent le visible. De la foule de ces peuplades blanches passant dans le « Cortège » d'Apollinaire, un géant se détacha, accaparant l'espace, l'émerveillant.

Son grand corps ligneux surgit soudain au milieu d'un paysage plat surplombé par un ciel mouvant où s'épandait en ondoyant la clarté blême de la lune. Paré de ses haillons d'hiver lustrés de nuit, il se tenait très droit à la lisière du ciel et de la terre, à la frontière entre l'obscur et la lumière, et il portait très haut dans le froid du silence sa ramure arrondie, nue. Un hêtre en dormition et qui rêvait debout, avec éclat, la longue histoire du vent, le chant du vide, les craquements de son bois et les frémissements de son ombre étendue sur la neige, au clair de la nuit. Un hêtre somnambule.

Avec ses branches dépouillées, hérissées de rameaux, de fines ramilles luisant de givre, l'arbre semblait se tenir à l'envers, avoir enfoui sa cime dans la terre et déployé ses racines en plein ciel. Un arbre planté la tête en bas, enraciné dans l'immensité du ciel fluide, immatériel, où sans fin fluent et refluent les ténèbres et la lumière. Un hêtre funambule glissant au fil des nuages, puisant dans le vent, dans le vide sa sève et sa beauté, sa raison d'être et sa force de croître.

Mais il ne fit que fulgurer. Un hêtre saltimbanque. Sitôt jailli avec ses racines aériennes qui étincelaient sous la lune, il s'en alla. Il paraissait courir, là-bas, poussé par un violent élan, emporté comme un nuage, requis par un appel au loin. Il fuyait, il fuyait, avec son secret un instant mis à nu.

Il suffit à Ludvík de cette vision fugace pour basculer à son tour et se sentir retourné, à pic, dans le vide ouvert en lui. Et il était pareil à l'arbre défeuillé par l'hiver, dépouillé de ses doutes pleins de morosité, de la fadeur de sa mélancolie, de son dégoût du monde et de lui-même. Il était pareil à l'arbre transi de givre, d'espace et de clarté lunaire, tout ébloui de nuit, et s'en allant, s'en allant devant soi, loin, si loin de soi, à la rencontre de soi-même. Un éclat fugitif courant à ras de ciel, à fleur de terre, dans les remous des nuages et des broussailles.

Le train ressassait sa rumeur, — les mots d'Apollinaire, la voix de Brum, le sourd battement du cœur de Ludvík. Un grand émoi se déployait en lui, son cœur entrait en déhiscence, comme ces pins nains de la toundra qui, avant toute autre plante, tout autre vivant, pressentent la proche venue du printemps alors même que la neige et la glace caparaçonnent encore tenacement la terre, et qui se redressent et s'ébrouent dans la steppe livide, solitaires et insolites, porteurs d'une promesse si longtemps pétrifiée que nul n'y croyait plus.

Le train ralentit et après quelques soubresauts il stationna dans une petite gare. Ludvík remarqua un homme qui se tenait sur le quai, à la hauteur de son compartiment, légèrement en retrait. Il était tête nue, ne portait pas de bagages, et demeurait très droit, immobile, les bras ballants le long du corps. Il était vêtu d'un imperméable qui attira la curiosité de Ludvík ; cette gabardine ressemblait tout à fait à celle qu'on lui avait dérobée quelques mois auparavant dans ce même train. Ludvík observa l'individu avec plus d'attention. Alors il fut saisi par une autre ressemblance, bien plus troublante. Cet homme était son sosie, et il le regardait avec une expression grave, douloureuse presque.

Ils se dévisagèrent en silence, pareillement immobiles, tout le temps que dura l'arrêt du train. Une minute ou deux, — une fulgurante éternité. Puis le wagon tressauta et se mit à glisser. Ludvík sursauta lui aussi, et il plaqua ses mains, son front contre la vitre, le regard rivé au visage de cet homme. Celui-ci ne bougea pas, il tourna juste la tête dans sa direction.

Ludvík crut apercevoir qu'il esquissait un sourire. Un sourire où se mêlaient détachement et compassion.

Le train avait retrouvé son rythme et filait le long des rails. Ludvík se recala contre le dossier, le visage toujours tourné vers la fenêtre. Il croisa dans la vitre le regard de son propre reflet. Et ce regard était tout à la fois le sien et celui de l'homme aperçu l'instant d'avant sur le quai. La même gravité un peu douloureuse, une égale expression d'attente, de patience. Ludvík ne savait plus s'il s'agissait vraiment de lui-même ou de l'autre, il ne se reconnaissait pas dans la flagrance de sa propre image. Il avança la main vers la vitre et effleura du bout des doigts les lèvres closes de son reflet. Alors la bouche s'entrouvrit et se mit à parler d'une voix assourdie et ténue : « Ludvík, Ludvík… »

La voix semblait moins l'appeler, ou se nommer elle-même, qu'implorer quelque chose. Mais Ludvík ignorait ce que mendiait cette voix, il ne sentait que l'immensité d'imploration contenue en elle, et combien elle était navrée de profonde douceur. « Regarde-moi, écoute-moi… » chuchota le reflet dont les lèvres bougeaient sous les doigts de Ludvík. Ce visage réfléchi sur la vitre évoquait le très troublant mystère d'un suaire où l'empreinte de la face du mort se serait imprimée et reprendrait vie. Ludvík était égaré si loin dans le désert de l'étonnement qu'aucune question ne parvenait à se formuler dans son esprit, — c'était son être qui se découvrait de fond en comble mis en question, transformé en pure inévidence, en folie d'absence. Il ne savait plus à qui appartenait ce visage en miroir qui lui ressemblait trait pour trait mais paraissait vivre d'une vie autre, sourdre d'ailleurs que de sa propre personne.

La voix reprit, toujours en affres de douceur : « Depuis l'instant de ta naissance je me suis attaché à ton souffle, à ton cœur. Je suis le cri de ta naissance, et ta mémoire d'avant ce cri. J'ai pris part à chacun de tes jours, je t'ai suivi pas à pas, geste à geste, et je me suis couché dans chacune de tes nuits. Souvent, sur ton épaule, j'ai posé la main, mais tu n'as su alors que hausser le dos avec désinvolture et repousser ma main, ainsi qu'on époussette de disgracieux grains de poussière. J'ai porté le poids de tes peines, de tes chagrins, et celui, toujours plus lourd, de tes doutes. Mais le plus écrasant fut celui de ton indifférence, de ton désabusement. Je serrais pour toi dans ma paume un infime bris de lumière, un éclat de silence, mais tu étais toujours la proie de tant de faux mouvements du cœur et de l'esprit que je ne parvenais jamais à déposer ce grain en toi... Ludvík, à force d'être absent à toi-même et écœuré de tout, tu t'es perdu de vue, tu t'es perdu de cœur, et tu m'as à ce point méconnu, et tu t'es à ce point mal aimé que tu as fini par me détacher de toi, par te délier de toi, te détourner des autres... Ludvík, depuis si longtemps je te recherche et je t'implore comme un chien répudié par son maître, je te recherche et je m'afflige comme un maître qui a perdu son chien, je te recherche et je t'adjure comme un frère en quête de son frère prodigue et oublieux... Ludvík, il fait si froid dans ton oubli, il fait si sombre dans ton ennui, il fait si faim, et soif, dans ton inattention au mystère de ce monde... »

Ludvík, le front posé contre la vitre, appuyé contre

le front de son propre reflet qui le regardait droit dans les yeux, écoutait, du bout des doigts, frissonner ce murmure. Toutes ses défenses étaient tombées ; il se rendait, au terme d'une lutte livrée en lui à son insu, sinon contre son gré. Il se rendait à lui-même, à l'in-évidence du monde, au miracle de la réalité, à la fon-cière réalité du rêve.

Tous ces mots chuchotés qu'il percevait du bout des doigts n'étaient pas des reproches, ils étaient des aveux. Il s'avouait à lui-même, il se reconnaissait simple et pluriel, zone mouvante traversée à la fois par le vide et par une multitude de voix, de visages, de gestes et de pas, corps en perpétuelle confluence, chair en sursis pétrie d'échos, de traces et de regards, cœur inachevé dont chaque battement semait dans la rumeur du monde un nouveau point de suspension, un éphémère point de tangence entre soi et les autres, les vivants et les morts. Rien de tout cela ne se for-mulait dans son esprit, c'était un doux afflux de sens qui s'irradiait en clair-obscur depuis ses doigts jusque dans chaque recoin de son être.

Le train entra en gare, le voyage s'achevait. Mais non, il ne s'achevait pas, il commençait, ailleurs et autrement. Ludvík se détacha de la fenêtre où son reflet s'effaça. Quelques gouttes d'eau perlaient sur la vitre, ténues, glissant avec lenteur. Ludvík passa la main sur le carreau, les gouttes d'eau lui mouillèrent les doigts. Il porta la main à ses lèvres, un léger goût de sel brasilla dans sa bouche.

Il descendit du train.

Ludvík, — était-ce là son nom ? D'avoir été ainsi

appelé par ce visage immatériel dont le front s'était collé contre le sien, il ne savait plus comment il se nommait. Comme ces poèmes ou ces tableaux qui se présentent sous le vocable indéfini « Sans titre », — non parce que leur auteur manquait d'imagination, mais, au contraire, parce qu'il en avait franchi les limites et laissait l'œuvre libre de s'ouvrir en tous sens, de se déployer hors d'elle-même, Ludvík se sentait flotter dans l'innommé, dans l'inconnu. Et il éprouvait un bonheur neuf, enfantin, car ce flottement n'était plus un errement mais une échappée belle au large de son être.

Sans titre, sans nom, allégé de son vieux chagrin et de ses nostalgies, délesté de toute rancœur et enfin désentravé de son indifférence, il débarquait en pleine nuit dans le matin du monde. Peu importait désormais le lieu où il se trouvait, la ville où il habitait ; il venait d'accéder à un espace autre, illimité, qui s'étendait à perte de vue, à perte de vision, aux confins de l'esprit. Là où tout se dénoue et s'évase, où les questions s'affranchissent du besoin de réponses pour ne plus que croître en force d'étonnement ; là où les pensées se délient et s'évadent, et le cœur se dénude.

Il traversa le hall où des voyageurs aux yeux embués de froid et de sommeil déambulaient dans la lumière acide des néons ; certains zonaient, sans bagages et sans destination, les yeux brûlés d'une autre fièvre.

Il sortit de la gare, dehors soufflait un vent glacé. De fines torsades de neige tournoyaient dans les halos d'un jaune ambré des réverbères. Malgré le froid, le vent, il avait envie de marcher. Des voitures glissaient à lente allure sur la chaussée, avec un bruit feutré. Il descendit une avenue, puis une autre, zigzagua dans des rues. Il marchait au hasard, humant l'odeur des pierres, de l'asphalte enneigé. Un tram passa ; il hésita et finalement monta à son bord. Il se laissa conduire un moment, contemplant la neige qui ne cessait de tomber, ample semaille de silence à travers la ville engourdie. Le tram bifurqua vers le fleuve et fila le long des quais. Un couple traversait un pont, abrité sous un parapluie noir. Un instant le duo esquissa un drôle de petit pas de danse, puis rétablit son équilibre. Un pâle croissant de lune tremblait dans une trouée du ciel, haut par-dessus les toits, virgule translucide ponctuant d'une brève pause un gouffre violâtre ; pause indécise reflétée par le fleuve en aval du pont où se balançait le parapluie tel un grand oiseau noir hésitant à prendre son envol.

Il descendit à la station suivante. Il obliqua vers des ruelles au fond desquelles et la neige et la nuit se condensaient, cristaux de songe et congères de pénombre. Il louvoya entre des façades brunes où veillaient des atlantes. Un chien aboya quelque part ; son aboiement était joyeux, il sonnait clair, léger. Ludvík pensa à un passage du «Cinquième puits» du *Puits de l'exil* de Rabbi Loew, où il est écrit que «si les chiens hurlent, c'est que l'Ange de la mort est entré dans la ville ; s'ils rient, c'est que le Prophète Élie est entré dans la ville», car il serait donné à ces animaux, du fait même qu'ils figurent parmi les plus humbles et les moindres des créatures, de pressentir des signes surnaturels et des présences spirituelles que les humains, imbus de leur supériorité, ne perçoivent que rarement.

« Car le Prophète Élie est le contraire de l'Ange de la mort ; de ce dernier viennent le manque et la perte, tandis que le Prophète Élie est le dispensateur de la paix et de la vie. Au moment où règne, dans le monde, cette force de vie et de paix, on trouve chez les êtres voués aux hurlements et aux gémissements, le rire. » Il en fut d'ailleurs de même avec l'ânesse de Balaam ; en découvrant l'Ange dressé au milieu de la route, son épée nue à la main, elle s'écarta à travers champs, mais Balaam, aveugle à la vision, frappa l'ânesse aux yeux voyants.

Ce chien, riait-il ? Cette idée le fit sourire, et ce fut ainsi qu'il déboucha sur la place de l'hôtel de ville, le visage tout enjoué.

À l'angle de la mairie le Maharal tenait sa garde intemporelle, la jeune naufragée éperdument accrochée à son flanc. Le vieux sage et la belle ondine poudroyaient au creux de leur alcôve dont la coupole évoque la valve concave et rainurée d'un grand coquillage. Nimbés de neige et de clarté d'un blanc ocreux, légèrement soufré, ils ressemblaient plus que jamais à des figures fluviales ou océanes. Ils émergeaient d'une profonde nuit aqueuse, — non celle qui précéda l'aube du monde, ni celle de sa fin, mais celle, peut-être, qui enfanta ce matin renouvelé du monde que fut la décrue du Déluge. Matin de seconde lumière levé au cours de l'Histoire depuis peu de temps en marche pourtant, mais qui déjà avait chuté. Matin intime, où se renouvela l'Alliance et se reprécisa l'ordre du monde. « Mais je demanderai compte du sang de chacun de vous. J'en demanderai compte à tous les animaux et à l'homme, aux hommes entre eux, je demanderai compte de l'âme de l'homme. »

Était-ce de cette âme de l'homme par l'homme si souvent volée, bafouée, violentée, que le Maharal avait discuté en secret avec l'empereur Rodolphe en ce lointain dimanche de l'an 1492 ? Et Brum, était-il à présent introduit auprès de ces deux hommes, avait-il enfin part à leur conciliabule ?

Tandis qu'il contemplait la statue et repensait à Brum, il aperçut soudain un détail auquel il n'avait jamais porté attention jusque-là ; tassé aux pieds du Maharal, faisant pendant à la jeune fille nue, se tenait un chien. Était-ce celui mentionné dans le « Cinquième puits », que le sculpteur Šaloun avait représenté ?

Il ne semblait guère rire, ce chien bizarrement accroupi, aux côtes maigres. Il ne paraissait pas davantage hurler, ni gémir. Un chien pensif, hésitant. Mais comment aurait-il pu opter, puisque la vie et la paix que doit saluer le rire coexistaient avec l'approche de la mort que doit dénoncer un long ululement ?

Le Maharal, portant en son corps près d'un siècle de sagesse et de foi lumineuse, le cœur transi de paix et irradiant la vie, n'était-il pas menacé par la mort que la jeune fille lui apportait innocemment ? La jeune fille, aussi belle et fragile en sa nudité que la fameuse rose dont le parfum exhala la mort. Voilà pourquoi le chien ne parvenait pas à se décider ; blotti contre les plis du manteau de son maître, il sentait à égalité la force et la sérénité du vieillard, et l'arôme doucereux de la mort juvénile.

Une idée vint subitement à Ludvík. Il sortit de sa poche le livre rendu par Brum après trente années de lecture, en extirpa la carte imagée d'un collage, la plia en accordéon et, se hissant sur le socle, il la cala contre la main relevée du Maharal, — celle qui se défend de la sournoise étreinte de la mort.

«Voilà, dit-il, accroché lui aussi à l'épaule du vieillard, le message d'adieu est devenu salutation et invitation sans fin au voyage. Bonne route à Joachym Brum sur l'immense chemin des âmes!» Alors qu'il redescendait, il glissa et dégringola au bas du socle; il se retrouva étalé sur le dos contre les pavés gelés. «Comme la grosse Ludmilla!» pensa-t-il, et il éclata de rire.

Le chien, c'était lui, l'humble animal doué de flair sans rien comprendre pourtant au miracle qui survient. Mais il sentait parfaitement en cet instant, lui, homme jusqu'ici tellement confus en ses pensées, si empêtré dans sa douteuse intelligence, que venait de faire irruption la joie pure de se savoir en vie, et en paix souveraine. Et il riait, riait, les fesses sur les pavés dégoulinants de neige fondue. Enfin il se releva, épousseta son pardessus, revint vers la statue, caressa la tête du chien de pierre, puis s'en alla. Un monde à découvrir, à questionner, respirait autour de lui, vivace.

DU MÊME AUTEUR

Aux Éditions Gallimard

LE LIVRE DES NUITS, Folio n° 1806

NUIT D'AMBRE, Folio n° 2073

JOURS DE COLÈRE, Folio n° 2316

L'ENFANT MÉDUSE, Folio n° 2510

LA PLEURANTE DES RUES DE PRAGUE, Folio n° 2590

IMMENSITÉS, Folio n° 2766

CÉPHALOPHORES

Aux Éditions Maren Sell & Cie

OPÉRA MUET, Folio n° 2248

Aux Éditions Flohic

VERMEER

Aux Éditions Desclée de Brouwer

LES ÉCHOS DU SILENCE